DIE GROSSE UMWENDUNG

Für Julia und Cosima

»Denn schon eilt der Adler heran...«
IV. Buch Esra, 14,19

Vorbemerkung

Um die Zeit, als in China, dem Reich der Mitte, die Sung-Dynastie herrschte und der Sohn des Himmels T'ai-tsung sein mehr oder weniger gnadenreiches Regiment in der Hauptstadt K'ai-feng ausübte, gelang es dem damals etwa fünfzig Jahre alten Mandarin Kao-tai, eine Zeitmaschine zu konstruieren, mit der er – aus reinem Fürwitz, aber auch aus Neugierde – tausend Jahre in die Zukunft reiste. Kleinere Zeitmaschinen, die etwa in der Art von Rohrpost-Hülsen zu denken sind, gestatteten es ihm, *Briefe in die chinesische Vergangenheit* zu schreiben und so seine Abenteuer dem einzigen Mitwisser dieser Zeitreise, seinem Freund und Mandarin-Kollegen Dji-gu, mitzuteilen. Kao-tai vermutete, als er nach der blitzschnell, oder besser gesagt: naturgemäß *zeitlos* verlaufenen Reise in einer, wie nicht anders zu erwarten, völlig fremden und verwirrenden Welt ankam, er sei in einem so veränderten K'ai-feng angelangt, daß er es gar nicht wiedererkenne. Erst nach einiger Zeit wurde es Kao-tai klar, daß er die – ihm ja unbekannt gewesene – Erdumdrehung nicht einkalkuliert hatte, und so in der nicht nur zeit-, sondern auch raumfernen Stadt Min-chen gelandet war.

Kao-tai lebte etwa ein Jahr in dieser Stadt Min-chen und versuchte die Sitten (und Unsitten) ihrer Bewohner zu verstehen. Er bestritt seinen Lebensunterhalt durch den Verkauf einiger mitgebrachter »Silberschiffchen«: der Münzhändler bezahlte einen hohen Preis für diese erstaunlich prägefrischen uralt-chinesischen Münzen.

Kao-tai erlernte die Sprache der Bewohner (»Großnasen«) in der Stadt Min-chen, lernte ihre Lebensweise kennen – wenngleich nicht lieben – und kehrte dann in seine, wie er sie nannte, »Zeit-Heimat« zurück. Die Briefe, die er mittels der oben genannten Zeit-Rohrpost an seinen Freund Dji-gu schrieb, blieben erhalten und wurden vor einigen Jahren übersetzt und veröffentlicht. Damals wußte man noch nicht, daß Kao-tai etwa fünfzehn Jahre später gezwungen war – den Grund dafür nennt er auf den ersten Seiten seines Berichtes –, auch ein weiteres Jahr in ganz anderen Umständen wie das erste Mal in der Welt der Großnasen zu verbringen. Daß sich diese Welt seit seinem ersten Aufenthalt verändert hatte, fiel ihm, obgleich mit anderen Sorgen belastet, nach weniger Zeit auf.

Soweit die vielleicht notwendige Vorbemerkung des Herausgebers.

I

Diese Aufzeichnungen sind eigentlich Briefe an Dich, teurer Freund Dji-gu. Ich hoffe, der Himmel gewährt mir die Gnade, eines Tages in unsere Zeitheimat zurückkehren zu dürfen. Dann werde ich Dir, geliebter Freund, diese Blätter – ich weiß nicht, wie viele es sein werden – in die Hand drükken, und wenn es Deine Zeit erlaubt, und wenn Dein Auge über nichts besseres schweift, so magst Du, nicht um Dich zu unterhalten, sondern um mich zu erfreuen, aus ihnen entnehmen, was mir, Deinem Freund, auf dieser zweiten Reise in die ferne Zukunft alles zugestoßen ist. Ich sage absichtlich: »zugestoßen ist« und nicht »was ich erlebt habe«, denn, oh guter Dji-gu, unter welch anderem, unter welch ungünstigerem Stern steht diese meine zweite Zeitreise, die ich ganz und gar nicht, wie jene Reise vor fünfzehn Jahren, freiwillig angetreten habe!

Damals hatten wir gemütvoll-ruhigen Abschied voneinander genommen. Du warst der einzige, der von meinem abenteuerlichen Vorhaben wußte, ich konnte Dir mittels der kleinen Zeitrollen meine Berichte zukommen lassen. Wir hatten den Kontaktpunkt vereinbart... wo ist der Kontaktpunkt jetzt? Wo bist Du? Wo bin ich für Dich?... Wo ist meine süße, nun schon alte und behäbige, wenngleich immer noch strahlend schöne Shiao-shiao? Ich darf gar nicht an sie denken.

So kann ich Dir diesmal keine Kontaktpunkt-Briefe schikken, aber ich habe die Hoffnung, trotz allem, daß Du noch am Leben bist und daß ich in nicht zu ferner Zukunft heimkehren kann. Dann sollst Du, wie gesagt, diese Blätter in die Hand gedrückt bekommen, und vielleicht gestattet es der Große Himmel, daß wir nebeneinander am Pfirsichhügel im

Schatten sitzen, und unsere Zöpfe bewegt ein leiser Wind. Du liest diese Zeilen, stellst ab und zu eine Frage an mich, und Shiao-shiao umschmeichelt meine Füße. Jetzt mußte ich, wie Du Dir denken kannst, meinen Zopf abschneiden. Hier tragen zwar inzwischen die Leute auch Zöpfe, vorwiegend die jungen, aber ganz unordentliche und zottelige, und es graust unsereinem beim Hinschauen.

Wer hätte an diese Wendung der Dinge gedacht? Ich meine nicht die Zöpfe bei den Großnasen, ich meine die Tücke des Kanzlers La-du-tsi, daß er sich plötzlich als mein Feind herausstellt (dabei ist er ein Vetter meiner dritten Hauptfrau) und mittels der Dir bekannten bodenlosen Intrige den Unaussprechlich Hohen, dessen Namen man nicht hinschreibt, derart gegen mich aufbringt, daß man mich verfemt, meinen Besitz enteignet und mich aller meiner Stellungen entkleidet hat. Nicht genug damit: wenige Tage später, ich war auf dem Weg, mich bei dem Bruder meiner zweiten Hauptfrau weiter im Westen in Sicherheit zu bringen, erreicht mich durch einen der wenigen treu gebliebenen Diener die Nachricht, daß eben jener Schwager, Shi-mjau heißt er, Du kennst ihn nicht, das Fieber soll ihn fressen, ins Lager meiner Feinde übergewechselt ist. Und schon war ich von Häschern umstellt, denn La-du-tsi hatte beim Unaussprechlich Hohen ein Todesurteil gegen mich erwirkt. Ich konnte nur entkommen, indem ich mit meiner Zeitmaschine in die Zukunft entfloh – hierher. Das letzte, was ich von unserer Zeitheimat sah, waren die blöden Gesichter der Schergen, die mich vor ihren Augen verschwinden sahen.

So sitze ich hier – ohne Silberschiffchen, die ich verkaufen könnte. Eine peinlichere Lage kannst Du Dir wohl kaum denken, wenngleich ich nicht mehr in Lebensgefahr bin. Ich werde einige Zeit hier verbringen müssen, bis sich – wessen ich sicher bin – die Haltlosigkeit der gegen mich erhobenen Vorwürfe herausstellt. Ich weiß, daß einige Minister, unter ihnen vor allem der fromme Pi-jiu, heimlich auf meiner Seite stehen, und daß sie – vorsichtig – auf meine Rehabilitierung hinarbeiten. Es tut mir natürlich besonders leid, daß auch Du, als mein bester Freund, unter den Verfolgungen des teuflischen La-du-tsi zu leiden hast. Ich hoffe, daß sich seine Wut gegen Dich inzwischen gelegt hat.

Ein Problem stellt sich mir: wie soll ich erfahren, daß ich beim Geheiligten Himmlischen wieder in Gnaden aufgenommen bin? *Du* kannst mir ja leider diesmal keine Nachrichten zukommen lassen. Daß ich kurz und heimlich zurückspähe? Ich wage es nicht, kann ich doch nicht so genau berechnen, *wo* ich zu Hause eintreffe. Womöglich mitten in einer Horde von Schergen. Oder im Badezimmer von La-du-tsi, während er mit seinem Kebsweib scherzt. Weniger als tausend Jahre zu fahren, geht nicht, darauf ist die Maschine nicht geeicht... außer von hier für wenige Zeit in *diese* Zukunft. Nun, man wird sehen. Notfalls bleibe ich hier. Besser, als in der Zeitheimat geköpft zu werden.

*

So bin ich also vor etwas mehr als einem Mond wieder bei den Großnasen gelandet. Da ich diesmal von einem ganz anderen Ort abgefahren bin, bin ich natürlich auch an einem ganz anderen Ort angekommen, nicht auf der idyllischen Brücke über jenem beschaulichen Kanal in der Stadt Minchen. Die Landung war diesmal alles andere als beschaulich, und selbst ich, der ich ja die Welt der Großnasen kenne *oder zu kennen glaubte,* bin stärker erschrocken als damals, da ich den mir noch unbekannten A-tao-Wagen für einen fauchenden Drachen hielt. Alle fauchenden Drachen der Welt sind nichts und alle A-tao-Wagen sind nichts gegen den Irrsinn, gegen den vor Menschen siedenden Kessel, den ich erblickte, als ich ankam.

Es war mitten auf einer steinernen Straße, und seitlich davon ragte ein finsteres Bauwerk mit zwei gewaltigen Türmen auf. Es war kalt und es regnete. Dennoch war die ganze Gegend, soweit man blicken konnte, voll von torkelnden Großnasen. So bunt habe ich sie noch nie gesehen. Sie gaben Laute von sich, von denen ich vermute, daß sie für Musik gelten sollten. Die Großnasen – alle, Männer, Weiber, Kinder – hatten ihre ohnedies großen Nasen noch durch aufgesetzte Papiernasen künstlich verlängert und vergrößert. Selbst den Hunden und den Pferden hatten sie – meist leuchtend rote – Nasen aufgeklebt. Sie erschlugen sich mit Flaschen, fielen aber nicht immer tot um. Offenbar machte ihnen das in der Stimmung, in der sie waren, nichts aus. Sie standen dicht an dicht, und vorwärts bewegen konnten sie sich nur, indem sie sich mühsam aneinander vorbeiwälzten. Der Lärm und Krach war unbeschreiblich. Dicht neben mir drosch einer, der aussah wie ein Faß mit Ohren, auf eine ungeheuer große Trommel, und ein Weib, das so dick war wie ein Pferdearsch und roch wie ein Abtritt, lachte dämonisch, als ich neben ihr auftauchte, und brüllte mir etwas ins Gesicht, das wie »Köleng-ang-laf« klang. Dann begann plötzlich die ganze Menge regelmäßig hin- und herzuwackeln...

Das Geschrei wurde, soweit möglich, noch stärker. Dabei bemerkte ich, daß die Mitte des steinernen Weges von Schergen freigehalten war – mühsam, versteht sich. Neuere Beschwörungsformeln wurden gebrüllt: »Deng-zong-kömm« und »Ka-meng-le«, und plötzlich tauchten Großnasen von so gewaltiger Höhe auf, daß sie in die Wolken zu ragen schienen – aber es waren Großnasen aus Papierschaum, offenbar übergroße Götzenbilder, teilweise unbekleidet. Auch Uniformierte auf Pferden, vielleicht Militär (oder Priester?), und buntgekleidete Maiden kamen daher, die auf der Straße tanzten. Einige offenbar höhere Priester warfen Goldstücke unters Volk – meinte ich; ich fing auch ein »Goldstück«, es war aber nur eine mäßig wohlschmeckende Klein-Süßigkeit. Alles aber überwölbte eine Flut von kleinen bunten Papierschnipseln – und der unverdrossen fließende Regen, dem die Menge ebenso unverdrossen trotzte.

Alles verlief, schien mir, wenngleich laut, so doch in hohem Ernst.

Fünfzehn Jahre, habe ich mir gedacht, während ich versuchte, zwischen ihren Riesenbeinen hindurchzuschlüpfen, um einen stilleren Winkel zu gewinnen, fünfzehn Jahre sind es her, seit ich die Großnasen-Welt zu erforschen versucht habe. Schon damals sind sie mir streckenweise wahnsinnig vorgekommen. Sind sie in der Zeit dazwischen vollends übergeschnappt?

Nach einer Weile gelang es mir, in eine seitliche Gasse zu flüchten. Dort torkelten weniger Leute, schrien dafür aber um so lauter: »Kö-leng-ang-laf!«, und einer rannte mir lachend nach und versuchte, meinen Zopf zu fassen. Übrigens staunte ich, daß sich niemand über meine Kleidung wunderte. Ich führte das – irrtümlich – darauf zurück, daß sie sich in ihrem Zustand über gar nichts mehr wunderten. Außerdem hatten sie selber Kleider an, daß es jeder Beschreibung spottet.

Ich entkam dem Zopf-Jäger, lief nochmals in eine seitliche Gasse, und was kam mir entgegen? Eine ganze Gruppe von Großnasen, die Kleidung trugen, die sie für die des Reiches der Mitte hielten: mit herabhängenden Bärten und Zöpfen und in Gelb und mit blödsinnigen, aber ungefähr orthographisch richtigen Schriftzeichen auf den Jacken. Der eine hatte drangeschrieben:

請別在此橫穿馬路[*]

[*] Es wird höflich gebeten, die Straße nicht an dieser Stelle zu überqueren.

(Als ich ihm später erklärte, was das heißt, fand er das zum Schreien komisch.)

Die Gruppe erblickte mich, stieß ein Freudengejaule aus, umtanzte mich, bewarf mich mit bunten Papierschnitzeln, brüllte mir mehrfach »Kö-leng-ang-laf!« in die Ohren und redete auf mich ein.

Ich bildete mir ein, die Sprache der Großnasen dieses Teiles der Welt zu verstehen und nicht alles verlernt zu haben, und ich meinte, daß ich nicht allzuweit von Ba-yan entfernt gelandet sein könne, meiner Berechnung nach. Aber von dem, was diese vorgeblichen Bewohner des Reiches der Mitte sagten, verstand ich gar nichts, nur soviel, und das eher durch ihre Gesten (sie ruderten furchtbar mit den Armen in der Luft herum), daß sie mich irgendwohin mitzerren wollten. Da sie mir letzten Endes harmlos erschienen, gab ich nach.

Sie zogen mich in eine Schänke. Das klingt schlimmer, als es ist: bei den Großnasen ist es – selbst für Frauen – nicht unschicklich, in Schänken zu gehen. Es gibt auch die unterschiedlichsten Abstufungen von Schänken: manche erwekken den Eindruck vornehmer Paläste, es stehen Tische herum, auf denen ohne Rücksicht darauf, daß sie beim Essen sehr leicht befleckt werden können, weiße Laken liegen. Man ißt dort mit silbernen Instrumenten, die den Bestecken unserer Ärzte ähneln. In solchen Schänken werden nur Gäste bewirtet, die nicht rülpsen, und man verhält sich sehr leise. Beschürzte Diener eilen auf Zehenspitzen hin und her und verteilen flache, runde Porzellanschalen mit Speisen, die mit freiem Auge kaum wahrnehmbar sind. Dann aber gibt es Schänken, die sind so groß wie das Himmelszelt und voll Gebrüll, man ißt mit den Händen und vertilgt viel berauschende Flüssigkeit. Es gibt ganz kleine stille Schänken, in denen nur eine gewisse braune Brühe serviert wird, die man mit Rindsmilch verdünnt trinkt; bei den Großnasen sehr beliebt. Und es gibt Schänken, in denen verkehrt ordinäres Volk und sitzt an langen Tischen, stützt das Kinn auf die Fäuste und schaut dumm.

Die Schänke, in die wir kamen, gehörte eher zu der minderen Sorte. Es schien mir eine Andachtsstätte für Brandopfer, denn der Qualm, der herrschte, war nahezu unerträglich. Noch immer, habe ich festgestellt, ist jene Sitte der Brandopfer, jener hauptsächliche Aberglauben der Großnasen, nicht abgeflaut. Immer noch stecken sie die kleinen weißen Gebetsröllchen für ihren Rauchdämon in den Mund und blasen andächtig und mit verklärtem Blick. Aber es waren nicht laute Gebete, die in der Schänke und Brandopferandacht-Stätte erklangen, sondern schlichtes Gebrüll. Ich verstand nichts. Als dann aber – zum Glück auf der anderen Seite des Schanktisches – einer der Großnasen, der eine rote Nase aufgestülpt hatte, einer anderen Großnase mit einer goldfarbenen Papiernase einen Regenschirm über den Kopf schlug, verstand ich soviel, daß – vielleicht über theologische Fragen im Zusammenhang mit den Rauchopfern – eine Meinungsverschiedenheit aufgetreten war, die allerdings dazu führte, daß in Augenblicksschnelle jede Großnase auf jede einprügelte, woraufhin der Wirt einen offenbar eigens dafür angeschafften groben Stock ergriff und, begleitet von einem donnerähnlichen Kampfruf aus seiner enormen Kehle, wahllos auf die prügelnden Großnasen einschlug. So trat bald wieder Ruhe ein. Die zerschlagenen Gefäße wurden eingesammelt, neue ausgegeben, man trank, rückte die zum Teil naturgemäß in Mitleidenschaft geratenen Papp-Nasen zurecht und brachte neue Rauchopfer dar.

Wir, das heißt, die Gruppe jener Großnasen, die sich ihrer Meinung nach als Bewohner des Reiches der Mitte verkleidet hatten, und ich, hatten uns in eine sichere Ecke zurückgezogen und blieben unbeschädigt. Mit der Zeit gelang es mir, die Sprache dieser Leute zu verstehen: sie sprachen einen Dialekt, der für meine Ohren sehr stark merkwürdig klingt, aber zwei von der Gruppe bemühten sich um eine auch mir verständliche Ausdrucksweise, so daß ich nach und nach erfuhr, worum es sich bei dem Lärm draußen handelte: um das alljährliche Frühlingsfest der Großnasen (obwohl von einem Frühling auch kein Hauch zu spüren war), und daß sich die Großnasen in dieser Stadt keineswegs andauernd so wahnsinnig aufführen, wenngleich sie, sagte die eine Großnase stolz, in der ganzen Welt als »Frohe Naturen« berühmt seien.

Es wurde Abend. Die Gruppe verlief sich, zurück blieben ich und jene zwei, die sich einer etwas gehobenen Ausdrucksweise befleißigten. Sie erzählten mir viel von dem Leben in jener Stadt (sie heißt Kö-leng), und wie wichtig das Frühlingsfest ist. Mir aber erhob sich langsam die Frage, wie es mit mir weitergehen, wo ich für die Nacht meinen Kopf hinlegen solle. Man kann es kurz machen: als spät in der Nacht auch diese restlichen beiden Großnasen der vermeintlichen Reich-der-Mitte-Leute sich verabschiedeten, der Wirt die sonst noch verbliebenen, meist stark betrunkenen Gäste hinauswarf, mußte auch ich gehen.

Ich stand auf der Straße. Es war kalt. Es nieselte leicht. Überall lag der vom Frühlingsfest übriggebliebene Unrat. Ich war nicht hungrig, denn jene Gruppe hatte mich großzügig eingeladen, und durstig natürlich erst recht nicht, aber ich war einsam. Jenes schwarze Gebäude mit den hochstarrenden Doppeltürmen ragte in den unfreundlichen Himmel, und das einzige Geräusch war das Schnarchen einer pappbenasten Großnase, die, eine leere Flasche in der Hand, neben einem Stiegengeländer in einer Haltung schlief, die ein nüchterner Mensch nicht aushält.

Ich schlich ein wenig umher. Ich war müde wie ein Hund. So setzte ich mich in den etwas eingezogenen Eingang eines der übergroßen Steinhäuser, die sich um jenes finstere Turmgebäude lagern, wickelte mich, wenn man so sagen kann, um mich selbst und schlief tatsächlich ein.

*

Auch der nächste Tag war trüb. Das Frühlingsfest war vorüber, der Frühling ferner als am Tag zuvor, schien mir. Ich erwachte von einem Tritt, den ich in jenen Körperteil bekam, den man schlichterweise unter gebildeten Menschen nicht ohne Not erwähnt. Gleichzeitig hörte ich einen Schrei.

Den Tritt hatte mir eine Großnäsin versetzt, die müde, wie alle Großnasen an dem Tag nach dem Frühlingsfest, und äußerst mißgelaunt herangeschlurft war. Ich nehme vorweg, was ich erst später erfahren sollte: die Großnäsin war, lache nicht, Barbierin. Ich hatte mich nichtsahnend, oder vielmehr: unbekümmert vor ihren Barbierladen gesetzt und lehnte schlafend gegen dessen Tür. Sie ärgerte sich – nicht ganz unverständlich – und gab mir, meinend, ich sei eine immer noch betrunkene Großnase, den Tritt. Ich fiel zur Seite, und sie sah meinen Zopf, den sie, als Barbierin, sofort als einen echten solchen erkannte und freudig aufschrie.

Nachzutragen wäre – das hatte ich im Lauf der abendlichen und nächtlichen Unterhaltung in jener Rauch-Schänke erfahren –, daß es üblich ist, sich zum Frühlingsfest zu verkleiden. Die großnäsige Barbierin, eine ziemlich dicke, wenngleich nicht sehr alte Dame, glaubte natürlich, ich sei noch verkleidet, und wunderte sich also über meinen echten Zopf. Ich rappelte mich auf, raffte meine wenigen Siebensachen und wollte mich davontrollen. Sie hielt mich aber zurück und fragte, ob sie den Zopf anfassen dürfe. Sie habe, obgleich gewerbsmäßig mit Haaren beschäftigt, noch nie einen so schönen, langen Zopf gesehen, schon gar nicht bei einem Mann. Sie bat also, den Zopf anfassen zu dürfen, was ich – wenngleich ungern – gestattete. Sie gab beifällig grunzende

Laute von sich, und fragte dann: »Wie haben Sie den Zopf befestigt?«

Ich sagte: »Er ist angewachsen.«

Die Barbierin erstarrte, dann öffnete sie ihren Laden. Türen öffnen die Großnasen unter Zuhilfenahme kleiner Metallgegenstände, mit denen sie Taschenspielertricks vollführen: meinte ich zunächst. Später – auf meiner ersten Reise damals – lernte ich es auch. Verzeih diese Abschweifung; Du bist vielleicht begierig zu hören, wie es mit der dicken Barbierin, die übrigens auffallend große Füße hatte, weiterging. Aber ich muß, wenn ich die Seltsamkeiten der Großnasenwelt vollkommen schildern will, solchen Abschweifungen nachgehen. Also: die Türen der Großnasen. Die Großnasen sind von Grund auf der ja an sich richtigen Überzeugung, daß die Menschen ein Ungeziefer sind. An und für sich geht sich Ungeziefer aus dem Wege, schadet sich gegenseitig nicht, es sei denn, es nimmt überhand. Ratten in einem Keller, aus dem sie nicht entkommen können, vermehren sich dauernd und fressen letztendlich einander auf. Soweit ist es mit den Großnasen gekommen. Sie sind aufgrund ihrer erdrückenden Menge soweit wie das sich gegenseitig fressende Ungeziefer. Das meine ich im übertragenen Sinn. Sie fressen sich nicht gegenseitig auf, noch nicht, obwohl es in gewissen Teilen der Großnasenwelt fast schon soweit sein soll. Vorerst bestehlen sie sich nur. Strafen helfen nichts mehr. Man ist sich seines Eigentums nicht mehr sicher. Stehlen gilt soviel wie Finden. Alles, was nicht niet- und nagelfest ist und unbeaufsichtigt, wird binnen kurzer Zeit »gefunden«. (Daß sich die Mächtigen und Ganz-Reichen der Großnasen mit ganz anderen »Funden« befassen, ist eine weitere Sache, auf die ich noch zurückkommen werde.) So stehen also die Großnasen vor dem Problem, ihr Eigentum ständig bewachen und vor dem überall lauernden Ungeziefer bewahren zu müssen. So hat sich eine äußerst stark komplizierte Kultur der Türverriegelungen entwickelt. Ich will Dir die technischen Einzelheiten ersparen, nur soviel: zu jeder Tür gehört ein Eisenstück, mithilfe dessen die Tür geöffnet werden kann (man steckt es in einen Schlitz und dreht), und ohne genau dieses läßt sich die Tür unter keinen Umständen öffnen. Natürlich gibt es inzwischen längst Fälscher für solche Eisenstücke, weswegen die Eisenstücke-Erfinder diese immer komplizierter machen, worauf die Fälscher noch raffinierter vorgehen und so fort, das alte Lied. Zwar auch mit purer Gewalt läßt sich so eine Tür aufsprengen, aber vor all dem scheut das Ungeziefer doch (noch?) etwas zurück, und so ist das Eigentum einigermaßen gesichert, sofern man nicht vergißt, beim Weggehen das Eisenstück in umgekehrter Richtung wieder im Schlitz zu drehen.

So also drehte die großfüßige Dick-Barbierin ihr Eisenstück im Schlitz der Tür und öffnete sie. Befriedigt stellte sie fest, daß nichts gestohlen worden war, drehte sich um und sah, daß ich mich behutsam davonschleichen wollte. Sie rief mich in einem freundlichen Ton zurück und lud mich, wenngleich ohne jede Verbeugung, ein, in ihren Laden einzutreten. Ich witterte keine Gefahr, denn, wie gesagt, ihr Ton war freundlich. An und für sich hätte sie mich, wenn sie böswillig gewesen wäre, ohne weiteres mit ihren gigantischen Fettmassen zerquetschen können, wenn sie es darauf angelegt hätte. Ich gestehe auch, daß mich die Wärme, die mir aus dem Laden entgegenschlug, anzog. Schlafe Du einmal eine kalte Nacht bei Regen so gut wie im Freien.

Die Barbierin – sie hieß S'u-s'i, wie ich später erfuhr – war in der Tat freundlich. *Zu* frendlich für meine Begriffe, wie sich später herausstellte. Aber nun gut. Ich mittelloser, nasser, mit einem fremdartigen Zopf behafteter Flüchtling (der von viel weiter herkam, als S'u-s'i ahnen konnte), war froh, fürs erste unter ein Dach gekommen zu sein. S'u-s'i bot mir jenes braune, heiße Gebräu an, das ich von meinem ersten Aufenthalt schon kannte. Sie bereitete es auf einem fürchterlich zischenden Gerät, das aber im Großen und Ganzen ungefährlich ist. Es ist ein aufmunterndes, und wenn man sich daran gewöhnt hat, wohlschmeckendes Getränk, sofern man es nicht, wie die Großnasen zumeist, mit Rindsmilch verdirbt.

Ich trank dieses Gebräu und stand vor der Frage, wieviel an Wahrheit über meine Herkunft ich der dicken S'u-s'i offenbaren solle, und vor der zweiten Frage, wie ich es bewerkstelligen könne, nach Min-chen zu kommen, um Frau Pao-leng oder Herrn Shi-shmi aufzusuchen, und überhaupt, wie ich, ohne Geld und Mittel, die Zeit überleben wolle, bis ich – und dazu das Problem: wie? – erfahren würde, daß ich in meine Zeitheimat zurückkehren kann.

Zum Glück interessierte sich S'u-s'i kaum für meine Herkunft, sie befühlte nur immer wieder meinen Zopf, und ihr Staunen wollte nicht enden. Dabei gähnte sie ungeniert.

Sie sei, sagte sie, gestern im Laufe des Frühlingsfestes »in einen Sumpf« geraten (ich weiß nicht genau, was das bedeuten soll, vielleicht ist es im übertragenen Sinn gemeint), sie habe etwas zuviel getrunken, sei erst vor kurzem nach Hause gekommen und eigentlich so schlaff wie eine leere Haut. Aber sie kaufe mir meinen Zopf ab. Nachdem sie nicht aufgehört hatte, ihn zu bewundern, und es mir klar war, daß ich ohnedies mit dem Zopf viel zu auffällig fürs Überleben hier sein würde, willigte ich ein, und sie gab mir mehrere große Papierbriefe von Geldwert, schnitt mir den Zopf ab und sagte, daß sie ihn in einer Vitrine ausstellen werde. Dann küßte sie den Zopf, was mir nichts ausmachte, und dann küßte sie mich, was mir ziemlich unangenehm war. Noch nie hatte mich eine Frau mit so großen Füßen berührt.

»Sag einmal«, sagte sie dann, »ich falle um vor Müdigkeit. Ich leg mich hinten in die Kammer. Wenn eine Kundin kommt, die barbiert werden will, dann erzähle ihr irgendwas –«

»Was, bitte?« fragte ich.

»Irgendwas«, gähnte S'u-s'i, ging nach hinten, und kurz darauf hörte ich ihr Schnarchen wie von brechenden Wellen.

Eine Zeit lang kam niemand. Es war überhaupt still in den ganzen Straßen, soweit man es überblicken konnte. Ich dachte nach.

*

Ich saß so vielleicht eine Stunde. S'u-s'i nebenan peitschte weiter ihre Wellen, ich spazierte in Gedanken mit Dir durch unseren Aprikosengarten, und ich sprach in Gedanken mit Dir über unser Lieblingsthema: den Unfug des Aberglaubens der Astrologie, und ich versuchte einen Witz zu machen und sagte, der Lieblingsmops meiner vierten Hauptfrau sei unter dem Sternzeichen der Haarspange geboren, Aszendent: Knoblauch, und Du lachst in meinen Gedanken –

– da schlug eine Glocke an, die oben an der Tür angebracht war, und ich schreckte auf: eine Kundin betrat den Raum. Ich hielt mich gerade noch zurück, eine Drei-Achtel-Verbeugung zu machen, murmelte nur einen Gruß, und die Kundin sagte:

»Ist Frau S'u-s'i nicht da? Ich habe einen *Termin*.«

Ich weiß nicht, was ein »Termin« ist, ein verstecktes Leiden? Eine Haarkrankheit? Äußerlich sah die Dame gesund aus, wenngleich sehr braun und faltig und mit auffallend vielem Goldschmuck behängt.

»Nein, oh Sonne der Stadt Kö-leng, Frau S'u-s'i ist leider nicht anwesend. Es wird ihr bis ans Ende ihres hoffentlich langen Lebens Leberschmerzen sowie Hühneraugen zufügen, daß sie die Gegenwart Ihres, oh Sonne von Kö-leng, Angesichtes nicht genießen kann.«

Ich wußte, daß es bei den Großnasen nicht üblich ist, so höflich zu reden, aber ich dachte, diese Anrede werde vielleicht die goldbehängte Kundin veranlassen, so schnell es geht zu verschwinden. Das Gegenteil trat ein. Die Kundin strahlte, zeigte ihre weißen Zähne (ich bemerkte sofort: es waren herausnehmbare solche), sagte: »Huch, wie originell,« und setzte sich in einen der Stühle, die vor den Spiegeln an der Wand standen.

»Wo ist Frau S'u-s'i? Wann kommt sie?«

Ich konnte wohl nicht gut die Wahrheit sagen. Mir fiel nichts anderes ein, und ich sagte: »Sie ist auf den Markt gegangen, um einen Maulesel zu kaufen.«

»Wie originell«, krächzte die Weißzähnige, »hält man sich jetzt Maulesel? Und wann kommt sie zurück?«

»Darf ich die Silbermondscheibe Ihrer köstlichen Gegenwart für einen Augenblick ihren Schein an diesen toten Gegenständen verschwenden lassen, um meine schmutzstarrenden Füße nach hinten bewegen zu können?« sagte ich und lief in die rückwärtige Kammer, schloß vorsichtig die Tür, rüttelte an Frau S'u-s'i und flüsterte: »Da ist eine mit vielen weißen Zähnen, was soll ich tun?«

S'u-s'i gab erwachend einen Laut wie das Knarzen eines alten Stadttores von sich und sagte: »Was ist?«

Ich wiederholte meine Frage.

»Erzähl ihr was.«

»Habe ich schon. Sie hat sich in einen Sessel gesetzt, und sie leidet an einem Termin.«

S'u-s'i war schon wieder eingeschlafen. Ich rüttelte sie wieder.

Wieder knarzte das Stadttor.

»Was soll ich tun?«

S'u-s'i sagte etwas, das ich nur ungern wiedergebe und in etwa bedeutete: befeuchte mit deiner Zunge die Körperstelle, auf der ich zu sitzen pflege.

Das tat ich aber natürlich nicht; es war wohl metaphorisch gemeint.

»Ja – nein, nur: was soll ich tun?«

»Wasch' ihr die Haare und... und nimm eine Schere... und... was hast du gesagt? einen Termin hat sie? Oh Gott. Ich bin nicht in der Lage... und schütte ihr halt etwas von dem Zeug auf den Kopf... steht ja genug herum...« Und schon schlief sie wieder ein. Sie sagte später, sie habe einen schweren Traum gehabt. Ihr habe geträumt, sie sei dabei gewesen, ein Ferkel zu gebären, und sie habe gemeint, nicht ich, sondern ihre Gehilfin habe sie geweckt.

Ich ging also hinaus und machte mich, so gut ich konnte, an die Arbeit.

Die Weißzähnige sah nachher aus wie ein grün gefärbtes Stachelschwein. Ich hatte wohl nicht die ganz richtigen Tinkturen angewandt. Als sie sich zum Schluß im Spiegel sah, schrie sie. Ich habe nur einmal im Leben ein Weib derart schreien gehört, das war, als man der inzwischen verewigten kaiserlichen Haupt-Konkubine Huang-gua eröffnete, daß ihr Sohn einen Kanarienvogel gegessen habe. Es war nämlich ihr Lieblingskanarienvogel gewesen.

Die Weißzähnige schrie, daß sich die Luft verdichtete. Sie schrie, daß die Berge wanderten. Sie schrie mit Schreien dick wie Tempelsäulen, daß ihre abwechselnd schwarzen und schwefelfarbenen Schreie in zackenförmiger Bahn durch die Wasser der Erde fuhren und alle Dämonen aufweckten, die sich aber vor Schrecken die Ohren zuhielten – nur *ein* Dämon hatte mehr Ohren als Hände, und in seine vier ungedeckten Ohren fuhren die Schreie in die Abgründe seiner Dämonenseele, so daß er unverzüglich den Mond verschlang und die Erde in seinen Dämonenborsten erstickte – –

– selbst Frau S'u-s'i wachte auf, kam herausgerannt und schrie: »Ist Feueralarm?!« Aber sie faßte sich erstaunlich schnell und geistesgegenwärtig. Ich hatte mich schuldbewußt, eine heiße Schere immer noch in der Hand, in den hinteren Winkel zurückgezogen. S'u-s'i aber trat an die

Goldbehängte heran und sagte: »Hübsch. *Das hat man jetzt so.*«

»Wirklich?« fragte die Goldbehängte.

»Wenn ich es Ihnen sage. Ich habe dafür extra einen chinesischen (Chi-neng-si ist der unerklärliche Großnasen-Ausdruck für Angehörige des Reiches der Mitte) Meister der Haarschneidekunst aus Nu-yok (wo immer das sein mag) kommen lassen. Dort tragen alle, die sich des gehobenen Geschmacks befleißigen, solche Haartracht.«

So kam es, daß ich Meister der Haarschneidekunst wurde. Glücklich war ich dabei nicht, aber ich hatte mein Auskommen. Mit dem Geld für den Zopf kaufte ich mir in einem Laden für gebrauchte Kleider zwei An-tsu nach Art der Großnasen und Schuh-Futterale aus hartem Leder sowie eine Reisetasche, in der ich meine geliebten wirklichen Kleider verwahrte. Im übrigen wurde ich von Frau S'u-s'i versorgt, und es ging alles leidlich. Zahlreiche Damen der Stadt Köleng, die sich des gehobenen Geschmacks befleißigten, trugen in der folgenden Zeit grüne Haare wie gefärbte Stachelschweine.

Aber meine Gedanken schweiften ständig in andere Richtung: wie komme ich nach Min-chen? Wie kann ich Frau Pao-leng und den Geprüften Gelehrten Shi-shmi dort aufsuchen? Das waren die einzigen, die – von meinem Aufenthalt vor fünfzehn Jahren her – meine wahre Herkunft kannten, und bei denen ich sicheren Unterschlupf finden konnte.

Zunächst war ich versucht, Frau S'u-s'i ebenfalls reinen Wein einzuschenken. Ich erzählte ihr einmal abends, nachdem wir den Barbierladen geschlossen hatten, von meiner Zeitreise – zögernd und vorsichtig... Sie hielt es für einen Witz und sagte, sie müsse lachen, als habe sie ein Ferkel geboren.

»Wahrscheinlich«, sagte sie, »bist du ein Flüchtling, der daheim irgendwas ausgefressen hat. Sei still, es geht mich nichts an, ich will es nicht wissen, und dir geht es so lang hier gut, solang du brav den Weibern die Haare grün färbst.«

*

Von einem Lohn war nie die Rede. Aber das war nicht der Grund, warum ich eines Tages – ungefähr einen halben Mond verbrachte ich bei Frau S'u-s'i – heimlich in der Nacht die schöne Stadt Kö-leng verließ. Der Grund war Frau S'u-s'i selber. Ich glaube, daß ich nicht so indezent sein und Näheres schildern muß. Ich habe nichts gegen abgerundete Damen, Du weißt, daß sowohl meine – inzwischen verewigte – Erste Hauptfrau von mir in geeigneten Momenten »mein kleines Kügelchen« genannt wurde, und daß meine Fünfte Hauptfrau recht rundlich ist – aber Frau S'u-s'i überstieg das Maß, für das ich Zuwendung aufbringen kann. Vor allem diese entsetzlich großen Füße.

Genug. Ich packte, während sie einmal außer Haus war, meine wenigen Sachen und schlich mich davon.

So stand ich neuerdings ohne Geld im Regen (denn es regnete wieder in Kö-leng, es regnet überhaupt fast immer), wenngleich weniger auffällig, da nach hiesiger Art gekleidet. Wie komme ich nach Min-chen? Ich rechne aus: der Ort im Reich der Mitte, von dem ich abfuhr, ist beiläufig zwei Tagesreisen von K'ai-feng entfernt; also wird die Stadt Kö-leng, wo ich ankam, entsprechend weit von Min-chen entfernt sein, weil ich ja dort ankam, als ich aus K'ai-feng abfuhr.

Aber wie überwinde ich die zwei Tagesreisen nach Min-chen? Die Großnasen reisen entweder mit ihren A-tao-Wagen oder mit fahrbaren Eisenschläuchen, wenn nicht gar mit fliegenden Kunst-Drachen. Das alles kostet viel Geld. Ich sitze hier in einer vom Barbierladen der Frau S'u-s'i in hoffentlich sicherer Entfernung befindlichen eher finsteren Schänke und habe mir von meinem letzten Geld eine Kanne

heißen Thees bestellt. Ich sitze hier, trinke das, was die Großnasen Thee nennen, habe dies geschrieben und grüble, wie
ich nach Min-chen kommen kann, um Herrn Shi-shmi oder
Frau Pao-leng zu treffen, von denen ich hoffe, daß sie mir
weiterhelfen.

Wie, guter Freund, wie wird dieses Abenteuer enden?

Gegenüber ist ein Laden, in dem bunte Bücher verkauft
werden. Auf einem ist ein Mann in der Tracht des Reiches der
Mitte abgebildet. Ich kann den Titel des Buches von hier aus
nicht lesen. Ich bin zu müde, um hinüberzugehen. Vielleicht
nachher.

Wie wird das enden –?

II

Es wird Dir, geschätzter Freund Dji-gu, nicht unbegreiflich sein, nachdem Du aus meiner Schilderung die folgenden Ereignisse kennengelernt haben wirst (sofern Du Dein sonnengleiches Auge zum Lesen dieser nichtswürdigen Zeilen mißbrauchen willst), daß ich überhaupt nicht wußte, wo ich war, ja nicht einmal genau wußte, wer ich war, als ich aufwachte.

Ich lag in einem Bett in einem eher niedrigen Saal, in dem alles weiß gestrichen war, auch die Möbel, und in dem noch dreiundzwanzig weitere Betten standen, was ich allerdings erst später zählte. Was ich auch erst später feststellte, war, daß in den dreiundzwanzig anderen Betten zweiundzwanzig langnasige Greise lagen, die zum Teil erheblich stanken. Ein Bett war leer, was aber für mich und das Folgende keine Bedeutung hat.

So nach und nach ordnete ich meine Gedanken, und als erstes stellte ich fest, daß ich *ich* war, nach wie vor, der unglückliche und verfolgte Mandarin Kao-tai, Präsident der kaiserlichen Dichterakademie »Neunundzwanzig moosbewachsene Felswände«, und daß mir so ziemlich jede Stelle an meinem Körper wehtat.

Nach einiger Zeit kam eine großnäsige Frau von den Ausmaßen eines Pferdes und steckte mir ein kleines Gerät aus Glas in den Mund und fragte: »Sind wir aufgewacht?« Ich wußte nicht, wen sie mit »wir« meinte (alle hier im Saal?), und konnte eine Antwort nur murmeln, zumal ich das gläserne Ding im Mund hatte. Mein Nachbar, wenn ich so sagen kann, also der, der im Bett rechts neben mir lag, ein haarloser Greis mit weißen Bartstoppeln und ohne Zähne, glotzte herüber. Es war mir sehr unangenehm. Zum Glück stand mein

Bett als letztes in der Reihe, links war die Wand, von da konnte keiner glotzen.

Die großnäsige Pferdin (sie war auch weiß, das heißt weiß gekleidet, trug eine Art Haube) nahm mir dann das Glasding aus dem Mund, betrachtete es und schrieb etwas auf eine Tafel, die über meinem Kopf hing. Alles war weiß. Weiß-weiß-weiß. Nur ein Kreuz auf der Haube der Pferdin war rot und die zwei kleinen Pillen, die sie mir gab, waren dunkelblau. Sonst alles weiß-weiß wie der Tod.

Kurz danach kam eine andere, etwas kleinere Weißgekleidete, brachte einen Krug und sagte: »Jetzt trinken wir diese Milch.« Ich antwortete: »Erhabene weiße Maid, Liebling der Wolken, die anderen mögen die Milch trinken, ich trinke sie nicht.« »Welche anderen?« fragte sie. »Oh güteversprengende Tugendtochter, Sie sagten doch: *wir* trinken die Milch.« Sie schüttelte den Kopf und sagte: »Dann eben nicht«, und ging wieder. Später kam ein weißgekleideter Mann, in dem ich nach scharfem Nachdenken einen Arzt vermutete. Er fragte: »Wie geht es uns?« Ich sagte: »Es könnte mir nicht besser gehen, obzwar ich schmutziger Wurm es nicht verdiene, wie es aber Ihrer strahlenden Herrlichkeit, Schneeberg der Heilkunst geht, weiß ich nicht.« »Dann machen wir einmal den Mund auf«, sagte er. Ich machte den Mund auf. Er nicht. Warum nicht? Ich verstehe es nicht. Er stocherte mir mit einem Stöckchen im Mund herum, dann sagte er: »Wir haben Glück gehabt.« »So«, sagte ich und unterließ großnäsisch jede Höflichkeitsform, »Sie auch?«

Aber er schüttelte nur den Kopf und ging ohne ein weiteres Wort. Kurz darauf bekamen wir – tatsächlich wir, nämlich alle dreiundzwanzig – einen grünlichen Brei zum Essen, und dann wurde das Licht ausgelöscht.

Wie Gespenster krabbelten einige der Greise aus ihren Betten, öffneten Flaschen und tranken, andere brachten sogar Brandopfer dar, einige stöhnten, die meisten stanken, mein übernächster Nachbar ließ starke Winde fahren, weiter hinten stritten zwei, es wurde etwas lauter, da kam die Pferdin herein und brüllte: »Ruhe, sonst setzt es was!« und schlug die Tür zu. Die weißen Greise (alle trugen weiße Kittel, auch ich hatte einen an, bemerkte ich) krochen dann wieder in ihre Betten und nach einiger Zeit trat tatsächlich Ruhe ein. Fahler Schein kam durch ein Fenster.

Ich dachte nach.

Mit der Zeit stellte sich, von allen vier Seiten kommend, ein Bild der Erinnerung ein: das letzte, was ich vor das Auge meiner Seele aus der schwarzen Tiefe der jüngsten Vergangenheit heraufholen konnte, war jene Schänke in der Stadt Kö-leng, in der ich für mein letztes Geld eine Kanne Thee bestellt hatte. Dann verfestigte sich langsam das Bild eines großen, bärtigen Mannes mit heiserer Stimme, der die Schänke betrat und sich an meinen Tisch setzte. Er brüllte mich an, aber es war wohlmeinend.

Es stellte sich heraus, daß der Bärtige der Herr eines riesigen A-tao-Wagens war, eines jener Wagen, mit denen ungeheure Lasten im Land hin- und hergefahren werden. Der Bärtige hatte sein Riesen-A-tao, an dem zum Überfluß noch ein zweiter Riesen-A-tao hinten dran hing (alles in allem so groß wie, schätze ich, sechzehn Elefanten), vor der Schänke stehen. Er kam aus einem anderen Land im Norden, war ziemlich flachköpfig, soff einen Kübel mit Flüssigkeit aus und rülpste. Ich verstand ihn schlecht, aber ich verstand ihn. Er hieß Hong-leng. (Ich bin nicht sicher. Es könnte auch sein, er sagte: er *sei* Hong-leng.) Er hatte auf sein Sechzehn-Elefanten-A-tao runde rote Früchte geladen, die – er gab mir eine zu versuchen – offenbar Wasser enthielten. Er fahre, sagte er, mit seinen roten Wasserfrüchten und ... ich konnte es nicht glauben (es wurde ja dann auch nicht wahr) ... nach Min-chen. Gern war er bereit, mich mitzunehmen. So stieg ich, nachdem Herr Hong-leng seinen Kübel ausgesoffen hatte, in das vorn am Giganten-A-tao befindliche kleine Häuschen und schloß bald die Augen.

Er fuhr, nein: er raste mit seinem Sechzehn-Elefanten-A-tao auf den Steinstraßen dahin, daß ich glaubte, hundertundzwei Gewitter gleichzeitig donnern zu hören. Er brüllte und lachte und hatte ein Kästchen dabei, aus dem großer Lärm quoll. (Er hielt es, merkte ich, für Musik.) Er schlenkerte fröhlich seinen Wagen durchs Land, und immer, wenn ich doch die Augen einmal öffnete, versuchte Herr Hong-leng, mittels seines Riesen-A-tao kleinere A-tao zu zerquetschen. Ob es ihm gelang und wie oft, konnte ich nicht feststellen.

Nach mehreren Stunden flog ich durch die Luft. Bist Du schon einmal durch die Luft geflogen? Nein. Es ist naturgemäß ein merkwürdiges Gefühl. Du bist nicht mehr Subjekt, du bist nur noch Objekt. Meine Arme schwirrten wie bei einer Puppe, die geworfen wird. Ich sah hinter mir ein riesiges Meer von meist zerquetschten roten Wasserfrüchten und seitlich das rauchende Wrack des Sechzehn-Elefanten-A-tao, das im gleichen Moment dann ein stark helles, gelbes Feuerwerk entfachte. Komischerweise hörte ich keinen Knall. Es verlief alles in Augenblicken, zerrte sich aber in der Erinnerung zu großen Zeiträumen auseinander. Herr Hong-leng kam mir nachgeflogen, allerdings nur die Hälfte von ihm. Dann sah ich einen Baum auf mich zurasen.

Seitdem ist Dunkelheit in meiner Seele bis zu jenem Moment, wo ich im weißen Saal aufwache.

*

Ich blieb etwa einen Viertelmond dort. Mehrmals sagte der, den ich als Arzt erkannte, daß »wir Glück gehabt« haben und daß es »uns gut gehe«, und dann, »daß wir morgen entlassen werden«. Ich bedauerte den Arzt, daß er auch entlassen wird, und erkundigte mich bei ihm höflich, ob auch gegen ihn bösartige Kollegen intrigiert hätten? Er verstand, scheint's, meine Frage nicht ganz, aber jedenfalls durfte ich aufstehen, meine Kleider anziehen und meine – im übrigen wirklich sorgfältig verwahrte – Reisetasche nehmen und gehen. (Ich hatte sie, so muß ich nachträglich annehmen, bei meinem Flug krampfhaft festgehalten.) Daß ich die weißen Greise nicht vermißte, muß ich wohl nicht betonen.

Aber vorher bekam ich noch anderen Besuch. Das ist etwas komplizierter, und es ist vielleicht zu schwer, Dir das alles begreiflich zu machen.

Bei den Besuchern, es waren zwei, handelte es sich um Schergen. Aber sie waren höflich, wenngleich häßlich grün gekleidet. Ich solle, baten sie mich, den Hergang des Unglücks schildern. Ich tat es, so gut ich konnte. Das schrieben sie auf. Aber sie fragten auch, wer ich sei –

sehr peinlich.

Ich nannte meinen Namen: Kao-tai. »Aha«, sagte der eine Scherge: »ein Ki-Neng-Se.« »Sehr wohl«, sagte ich. Sie fragten dann nach meinem Alter, das ich wahrheitsgemäß angab, und wo ich wohne. Ich gab an: bei Herrn Shi-shmi in Minchen, sowie die Nummer seines Hauses und den Namen seiner Straße.

Es ist nämlich so, daß die Großnasen von Nummern und hinweisenden Bezeichnungen geradezu umgeben, ja gepanzert sind. Fast möchte man meinen, die ganze Großnäsigkeit bestehe mindestens zur Hälfte aus leblosen Nummern. Jede Straße, jede Gasse hat eine feststehende Bezeichnung, die nur auf Anordnung einer Hohen Verwaltungsinstanz geändert werden darf. Und jedes Haus hat eine ebenso feststehende Nummer, die auf einem Täfelchen am Haus angebracht ist. Überall Nummern, Nummern. Die Großnasen führen ständig Kästchen und Zettelchen mit Nummern mit sich, haben kleine Büchlein mit unübersehbar vielen Nummern, in denen sie ständig blättern. Überall, wo Du hinsiehst: Nummern. Die Nummern umkränzen und umtanzen das Leben der Großnasen, und ich habe das Gefühl, daß die Nummern schon das Leben der Großnasen zu überwuchern beginnen. Eines Tages, so habe ich den Eindruck, machen sich die Nummern selbständig und verwerfen die unbrauchbar gewordenen Großnasen und bleiben allein übrig.

Aber man muß gerechterweise sagen: es geht wohl nicht mehr anders. Es sind der Großnasen zu viele. Eine andere Unterscheidungsmöglichkeit außer Nummern ist nicht mehr denkbar. So wird alles komplizierter. Haben nicht schon wir in unserer Zeitheimat das Gefühl, daß unser Leben unangenehm kompliziert ist? Ich sage Dir: das ist nichts gegen die Kompliziertheit der Welt der Großnasen.

Ich glaube, das ist ein Gesetz: alles, was wächst, was sich in irgendeiner Form entwickelt, neigt dazu, komplizierter zu werden. Wahrscheinlich wird nicht der Dreck und der Unflat, den die Bewohner der Welt hier über sie ausgießen, nicht die knäueldicke Überanzahl der Menschen der Grund für den – wahrscheinlich nahen – Untergang der Welt sein, sondern die zunehmende Komplizierung alles und jedes Systems, lebend oder unsichtbar, das die Welt in ihrem Netz endlich dann erstickt.

Soviel also über ihren Nummern-Wahn.

Das weiße Haus, in dem ich mich gezwungenermaßen aufhielt, war natürlich, wie Du schon vermutest, ein Hospital. Es ist hier nicht so, wie bei uns, daß man den Arzt entlohnt, solang man gesund ist, und die Entlohnung im Krankheitsfall aussetzt, so daß jeder Arzt größtes Interesse daran hat, den Patienten gesund zu machen. Im Gegenteil: völlig unverständlicherweise wird hier der Arzt bezahlt, solang man krank ist. Also haben naturgemäß die Ärzte großes Interesse daran, daß man krank bleibt. Aber das wird dadurch ausgeglichen, daß, soweit ich das überblicke, niemand eigentlich seinen Arzt (und einen Aufenthalt im Hospital) selber bezahlt. Das übernehmen große, bedeutende Institutionen, von denen eine Ao-Ka heißt. Ob das diese Ao-Ka-Institutionen aus Menschenfreundlichkeit übernehmen, oder ob – was ich eher annehme – irgendein Schwindel dahintersteckt, den ich noch nicht durchschaue, weiß ich nicht. Jedenfalls, als ich das Hospital verließ, sagte man mir: es sei alles in Ordnung, ich brauche nichts zu bezahlen, das erledige eine Institution, die mich und den verewigten Hongleng sowie das Sechzehn-Elefanten-A-tao mit Sicherheit überschüttet habe (so ungefähr ist es auszudrücken: Sicherungs-Überschüttung oder -Umhüllung), habe alles bezahlt, und mehr noch: es sei Geld für mich da.

Ich war völlig überrascht.

Wieso?

Für erlittene Schmerzen, auch für einen Flug durch die Luft, erhält man hier zum Trost Geld. Das besorgte, ohne daß ich bislang davon erfuhr, ein freundlich-wohltätiger Fürsprecher aus Min-chen. Er heißt Wing und hatte von der Sache erfahren oder war von den Schergen verständigt worden, wie immer das gelaufen ist, und eine andere menschenfreundliche Sicherheits-Institution hat mir als Ausgleich für den Schrecken beim Flug aus dem Riesen-A-tao einen gewissen Betrag zukommen lassen. Eine freundliche Großnase händigte mir mehrere blaue und braune Geldbriefe aus und, wie nicht anders zu erwarten, mehrere mit unverständlichem Zeug beschriebene Papiere, und wünschte mir alles Gute.

So stand ich vor dem Hospital.

Ich hatte von meinem ersten Aufenthalt her eine gewisse Ahnung vom Wert dieser Papierbriefe: die braunen stellen einen recht hohen Wert dar, und auch die blauen sind nicht zu verachten. Ich verwahrte also die Scheine wohl, nahm meine Reisetasche und marschierte die Stein-Straße hinunter.

Nach einiger Zeit stellte ich meine Tasche hin und griff mir an den Kopf: wohin wollte ich eigentlich? zu Herrn Shishmi. Gut. Aber wie? In welche Richtung?

Eine Großnase, ein dem Aussehen nach alter Mann, kam mir entgegen. Ich machte eine Drei-Achtel-Verbeugung und redete ihn an, gebrauchte zur Vorsicht schon keine Höflichkeitsfloskel. Ich sagte nur: »Edler Herr, können Sie mir sagen, wo ich bin?«

Er riß die Augen auf, sein Kinn klappte herunter, er sagte gar nichts.

Ich wiederholte, so behutsam wie möglich, meine Frage.

Jetzt antwortete er: »Ah – so – wo Sie sind?«

»Sehr wohl«, sagte ich.

»Ach so«, sagte er dann, »ich sehe, Sie sind fremd hier. Verstehe. Sie sind Ki-Neng-Se. Da wissen Sie freilich nicht – haben sich verlaufen. Ja: Sie sind in der Straße des Rauches.« Nebenbei bemerkt: es rauchte mitnichten. Aber das spielte ja keine Rolle für mich.

»Sie haben mir Wohltaten erwiesen, für die noch meine Urenkel Ihnen Räucherstäbchen weihen werden, aber sagen Sie mir noch bitte auch: Wo ist die Straße des Rauches?«

»Ja –«, sagte er gedehnt, »– *hier!*«

»Das habe ich nach Ihrer freundlichen Auskunft schon vermutet, nur, wo ist *hier*?« Ich deutete auf den Boden.

»Die Erde«, sagte er.

»Gewiß«, sagte ich, »und wie nennt sich die Stadt?«

»Sie wissen nicht, in welcher Stadt Sie sich aufhalten?« Er trat einen Schritt zurück, und ich hatte den Eindruck, er wolle fliehen.

»So ist es«, sagte ich, »leider. Ich bin eben erst entlassen worden.«

»Entlassen«, hauchte er, »entlassen?« und er eilte davon. In einiger Entfernung allerdings drehte er sich um und schrie:

»U-Ngl-M.«

»Und wie weit ist es bis Min-chen?«

»Weit!« schrie er, und lief endgültig davon.

Ich stand da, so klug wie vorher. So kam ich also nicht weiter. Ich wußte von meinem vorigen Aufenthalt, daß es A-tao-Wagen gibt, deren Lenker bereit sind, gegen Entgelt den Wagen zu beliebiger Fahrt zu Verfügung zu stellen. Tak-si heißen solche A-tao-Wagen. Ich ging also ein gutes Stück bis zu einem größeren, sehr stark von A-tao-Wagen belebten Straßenband. Tatsächlich kam nach einiger Zeit ein Tak-si-A-tao. Ich winkte. Der Herr des Tak-si hielt. Ein anderes A-tao fuhr beinah auf das Tak-si auf, und der Lenker dieses A-tao schrie aus seinem Wagen stark unfreundliche Bemerkungen zum Tak-si-Herren nach vorn, der aber fast noch lauter brüllte, und zwar jene offenbar abwertend gemeinte aber eher symbolische Aufforderung, jener solle ihm den zum Sitzen bestimmten Körperteil mit der Zunge benetzen. Es ist dies, um das hier kurz vorwegzunehmen, der übliche Umgangston zwischen Lenkern der A-tao-Wagen. Ich hielt mich aus dem Gespräch, wenn man es so nennen will, heraus und stieg in den Tak-si.

»Wohin?« fragte der Lenker grimmig, aber wohl nicht gegen mich, sondern weil er sich immer noch über jenen anderen A-tao-Herrn ärgerte.

»Eigentlich«, sagte ich, »nach Min-chen. Zu einem gewissen Shi-shmi.«

Er drehte sich nach mir um. »Wie? Nach Min-chen? Wissen Sie, was das kostet?«

»Nein«, sagte ich.

»So wie du ausschaust, kannst du das nicht zahlen. Fahr mit dem Tsu.«

Die Anrede mit »tu« statt mit »S'i« ist eine an Beleidigung grenzende Unhöflichkeit oder aber der Beweis freundlicher Vertraulichkeit. Ich wußte bei dem Tak-si-Lenker nicht, wie er das meinte, und überging es.

Ein Tsu. Ein Tsu ist ein fahrbarer Eisenschlauch, in dem man sitzen kann. Das wußte ich. Ich schaute so mitleiderregend wie möglich, gab dem Tak-si-Herrn einen blauen Geldbrief.

»Kann die erhabene Krone aller Tak-si-Herren bewirken, daß ich in einen Tsu komme, bei dem zu vermuten ist, daß er sich nach Min-chen schlängelt?«

Beim Anblick des blauen Geld-Briefes wurde der Tak-si-Lenker merklich freundlicher, und er begleitete mich fürsorglich bis in den gewünschten Tsu-Fahrbaren-Eisenschlauch, erledigte alle Formalitäten für mich, und er hätte mich, hätte ich das nicht abgelehnt, mit seinen starken Armen auch noch in den Tsu gehoben. Als sich der Eisenschlauch in Bewegung setzte, winkte er mir noch nach. Ich konnte es sehen, denn der Eisenschlauch hat Fenster.

In ungefähr zwei Stunden war ich in Min-chen. Ich fand rasch den mir noch geläufigen Weg zu jener kleinen Brücke über den Palast-Kanal, die dereinst unser Kontaktpunkt war, und die nahegelegene Wohnung des Geprüften Gelehrten Herrn Shi-Shmi – und dort erwartete mich eine böse Überraschung.

*

Ich erkannte das Haus nicht wieder, das heißt: an der Stelle, wo das mir geläufige Haus gestanden war, in dem Herr Shi-Shmi gewohnt, und wo er mir freundlicherweise für die erste Zeit damals Unterschlupf gewährt hatte, stand ein anderes, weit größeres Haus. So sind die Großnasen. Sie verrücken Häuser wie wir allenfalls Möbel. Kein Haus ist für die Dauer gebaut, ununterbrochen werden Häuser abgerissen, um an deren Stelle andere zu bauen (warum? sind die neuen schöner?), die alsbald ihrerseits abgerissen werden. Man kann fast sagen, es ist ein Kommen und Gehen der Häuser, und es ist nur wenig übertrieben, wenn ich behaupte, die Welt der Großnasen ist ein architektonischer Bienenstock.

So war also auch jenes Haus verschwunden. Ich war verzweifelt. Es wurde schon dämmrig, und – Du wirst es nicht anders erwarten – es begann zu regnen. Ich lief hin und her, auch viele andere Häuser waren verschwunden, endlich aber fand ich jenen Laden der fülligen Gemüsehändlerin, der erstaunlicherweise noch genauso stand, wie ich ihn in Erinnerung hatte. Auch die Herrin des Ladens war noch da, trug sogar die gleiche Kleidung wie damals: die Großnasen nennen sie »Kittelschürze«.

Und – was sage ich Dir! – sie erkannte mich wieder, und ich glaube, sie war sogar erfreut. In einem nicht endenwollenden Redeschwall fragte sie nach meinem Wohlergehen. Ich brauchte nicht zu antworten, denn sie redete weiter, ohne eine Antwort abzuwarten, erzählte – zum Teil verstand ich es – von verschiedenen Erkrankungen ihrer selbst, ihrer Verwandten auf- und absteigender Linie und ihrer Kunden. Als sie einmal Luft holte, konnte ich meine Frage nach Herrn Geprüften Gelehrten Shi-shmi anbringen.

»Ja, wissen Sie das nicht? Er ist doch *hinüber!* Nach drüben. In die Ehemalige. Er ist dort jetzt weiß-ich-was, etwas Höheres. Schon seit fünf Jahren.«

In einer Stadt namens Lip-tsing sei er, Genaueres wisse sie allerdings nicht.

Wo die Stadt Lip-tsing sei, fragte ich.

»Im Osten«, sagte sie, deutete aber nach Norden. (Die Zusammenhänge wurden mir später klar.)

Ich dankte, wollte schon gehen, da fiel mir ein, sie zu fragen, ob es hier in der Nähe eine Herberge gebe, die bereit sei, gegen mäßige Zahlung einen Fremdling unterzubringen. Ja, rief sie, sie wisse da etwas: gleich in der nahegelegenen Schlauen Straße sei so ein Etablissement, und sie zeichnete mir den Weg auf, der in der Tat nicht weit war.

Und seiher wohne ich also hier in dieser Herberge. Du erinnerst Dich vielleicht an meine Schilderung der palastartigen Herberge »Zu den vier Jahreszeiten«, in der ich damals wohnte. Ja. Damals hatte ich meine wundertätigen Silberschiffchen dabei. Jetzt bin ich ein Bettler. Ich muß sehen, daß ich so lang wie möglich mit dem Geld, das ich für meinen Schmerzens-Flug bekam, haushalte. Da kommt es mir gelegen, daß die Herberge hier in der Schlauen Straße preiswert ist, auch wenn sie mit jenem Palast keinen Vergleich standhält. Dennoch – das Geld schmilzt dahin, und irgendwann, nein: eher bald werde ich mir etwas überlegen müssen, um zu Geld zu kommen, damit ich nicht verhungere.

Daneben quält mich, wie ich hier so sitze, der Gedanke daran: wie erfahre ich, ob der Erhabene Himmelssohn, Seine Majestät der Kaiser (ich stehe auf und verbeuge mich zu fünf Achtel) seine gegen mich gerichtete Meinung als ungerechtfertigt erkennt? Wie erfahre ich das? Es ist etwas mehr als ein Mond vergangen, seit ich von dort geflohen bin. Die Frist ist wohl noch zu kurz, um einen solchen kaiserlichen Meinungsumschwung erhoffen zu dürfen.

Und es regnet immerzu.

Wann werde ich heimkehren können?

*

Du fragst vielleicht, lieber Dji-gu, warum ich nicht zuallererst die schöne Frau Pao-leng aufgesucht habe.

Ja – warum nicht? Ich kann es Dir sagen: ich habe genau das befürchtet, was dann eingetreten ist, als ich, am Tag nach meiner Ankunft in Min-chen, und also am Tag, nachdem ich vergeblich nach Herrn Shi-shmi gefragt hatte, Frau Pao-leng aufsuchte.

Erstaunlicherweise stand das Haus noch, erstaunlicherweise wohnte Frau Pao-leng auch noch darin. An den Türen der Häuser haben die Großnasen kleine Knöpfe angebracht, die auf Druck nachgeben und innen im Haus ein meist unangenehmes Kreischen erzeugen, das dem Bewohner andeutet, daß jemand vor der Tür steht. So ein Knopf befindet sich auch an der Tür von Frau Pao-leng. Ich drückte auf ihn. Nach einiger Zeit ging die Tür auf, und ein Mann von der Größe eines Baumes, der allerdings keine Haare hatte, schaute auf mich herunter. Er grollte etwas, was aber nicht direkt bedrohlich klang.

Mir verschlug es die Sprache.

Dann sah ich unter seinen dicken Armen hindurch hinten Frau Pao-leng aufstehen. Sie hatte inzwischen die ehemals schönen, glatten Haare gerollt, sah aber sonst fast noch so aus wie vor fünfzehn Jahren und schön. Sie erschrak, als sie mich sah, bemerkte ich, unterdrückte einen Schrei und deutete aufgeregt hinter dem Rücken des Mannes: ich solle still sein. Selten habe ich so flehende Augen gesehen. Sie deutete auch eine bittende Geste an und verschwand dann.

Ich verstand.

Ich verbeugte mich zu einem Achtel vor dem haarlosen Baum und sagte: »Ich habe mich bedauerlicherweise in der Tür geirrt. Ich weiß zwar die Gnade zu schätzen, die es mir erlaubt, durch diesen Irrtum die goldglänzende Haarlosigkeit zu bewundern, dennoch bin ich untröstlich –«

Noch bevor ich meine höfliche Rede beendet hatte, grollte er noch etwas und schlug die Tür zu.

So waren mir die beiden Menschen unter den Großnasen entglitten, denen ich mich damals anvertraut hatte, die wußten, wer ich wirklich war und woher ich kam, und denen ich mich auch jetzt anvertrauen hätte können.

Gut. Ich suchte in den folgenden Tagen noch Herrn Richter Me-lon, ich suchte Kleine Frau Chung, ich suchte nach Herrn Te-cho, der so schön auf der Geige spielte – ich fand keinen. Ich fand nur den braven Schreiber Si-gi, der nur im

Sommer dichtet: er lag in einem Park unter einem Stein. So werden bei den Großnasen die Leichen endgültig versorgt. Also beschloß ich, nach Osten, der in Wirklichkeit der Norden ist, zu fahren, um dort in der Stadt Lip-tsing nach Herrn Shi-shmi zu suchen. Es ist nicht nur Anhänglichkeit an den freundlichen Vertrauten, die mich so hartnäckig den Plan verfolgen läßt, Herrn Shi-shmi zu suchen. Ich weiß nicht, ob Du Dich erinnerst: Herr Shi-shmi ist ein Geprüfter Gelehrter der Kunde von den alten Zeiten. Er weiß alles, was früher vor sich gegangen ist, bis weit in die Vergangenheit zurück, sogar weiter als in unsere Zeitheimat. Nein: er weiß natürlich nicht *alles*. Aber viel, und was er nicht weiß, kann er in Büchern nachschlagen. Er weiß, wenn er irgend etwas nicht weiß, in welchem Buch er nachschlagen muß. »Das ist der eigentliche Kern des Wissens«, sagte er oft.

Ich rechne mir also aus, daß die Ereignisse in unserer Zeitheimat, die Intrigen des teuflischen Kanzlers La-du-tsi, sein hoffentlich bald erfolgender Sturz, seine Bestrafung, der gnadenreiche Sinneswandel der Himmlischen Majestät des Kaisers irgendwo als historische Tatsachen aufgeschrieben sind – als hier längst vergangene, aber für mich indirekt gegenwärtige, und daß Herr Shi-shmi als Kenner der Kunde von den alten Zeiten weiß, in welchem Buch er nachschauen muß. Und dann brauche ich nur rechnen und etwas warten und dann zurückkehren.

Aber mein Geld schmilzt dahin. Ich gestehe, daß ich mir den Luxus leistete – ja, gut, es ist leichtsinnig, aber irgendeine Freude muß der Mensch doch haben –, mir eine ohnedies kleine Schachtel Da-wing-do zu kaufen, jene großen, wohlriechenden Brandopfer, an die ich in den fünfzehn Jahren oft, wie ich zugeben mußte, mit Sehnsucht zurückdachte, und eine größere Schachtel mit zwölf Flaschen Mot-te-shang-dong, jenes lieblich perlende Getränk, das mich schmerzlich an meine schöne Zeit mit Frau Pao-leng erinnert, das aber gleichzeitig-zauberisch die Erinnerung wohlig verklärt und gewissermaßen emporhebend vertreibt. (Es kostete alles in allem leider einen ganzen braunen Geld-Brief.)

Der Mot-te-shang-dong ist getrunken. Mit den Da-wing-do-Brandopfern gehe ich sparsamer um. Ich fürchte, so schnell werde ich mir keine mehr leisten können. So sitze ich hier, habe dieses zweite Kapitel dieses langen Briefes an Dich geschrieben, und ich fahre morgen nach Li-tsing. Zum Glück ist mir vor einigen Tagen eingefallen, daß ich mich ja an jenen wohltätigen Fürsprecher Wing wenden könnte, um mich – ohne ihm meine wahre Identität zu offenbaren – auf die Reise vorzubereiten, um überhaupt zu wissen, wie und wohin ich fahren muß. Trotz meines Aufenthaltes damals in dieser Großnasen-Welt hier, tappe ich im Grund genommen doch hier herum wie ein Kleinkind oder ein Blinder.

III

Ich hatte bis jetzt, das ist fast zwei Monde nach meiner Ankunft, noch keine Ahnung davon, daß sich die Welt der Großnasen ganz grundlegend geändert hat, seit ich sie damals, vor fünfzehn Jahren, verlassen habe. Zwar ist das, wenn man so sagen kann, äußere Leben das gleiche geblieben, auch dem Lauf dieser Dinge ist nichts anzumerken, aber bei den Dingen darüber, bei den Staats- und Weltangelegenheiten – sagte mir Herr Fürsprecher Wing, ein sehr stark freundlicher Mann von übermäßiger Größe, wenngleich leicht ziegenbärtig – sei nichts mehr so wie früher. Das Oberste habe sich zuunterst gekehrt, alles sei anders geworden – ob besser, darüber gebe es verschiedene Meinungen. Die Stadt Lip-tsing liege, sagte mir Herr Fürsprecher Wing, in einigermaßen erreichbarer Nähe. Er gab mir verschiedene Hinweise, wie ich dort hinkommen könne; ich will Dich nicht mit diesen Einzelheiten langweilen. Und dann sagte er mir: ich werde mich sauber über die Zustände in Lip-tsing wundern.

(Herr Fürsprecher Wing staunte zwar über meine Unwissenheit, aber er glaubte mir, daß ich – wie ich log – viele Jahre in kontemplativer Abgeschlossenheit verbracht habe; zumindest fragte er nicht weiter.)

So bin ich also in einen fahrbaren Eisenschlauch gestiegen und nach Norden geeilt, was die Großnasen wie gesagt *Osten* nennen. Das ist auch wieder so eine Verwirrung. Ich aber nenne das Land, in das mich die Suche nach Herrn Shi-shmi führt, die *Schüssel-Provinzen*. Das allererste, was man nämlich hier im Osten, der der Norden ist, sieht, sind Schüsseln. Nicht Schüsseln, aus denen man Suppe ißt, sondern Zierschüsseln, und zwar stark große, so groß wie Wagenräder, ja noch größer, von oft mannsgroßem Durchmesser.

Überall stehen Schüsseln, in den Gärten, auf den Dächern der Häuser, an die Häuser geklebt, sie ragen aus den Häusern. Wozu die Schüsseln dienen, weiß ich nicht; wahrscheinlich ist das wieder so ein Aberglauben der Großnasen wie die Brandopfer. Ich habe diese Schüsseln mit Aufmerksamkeit beobachtet: sie sind mit ihren Öffnungen alle nach Westen gerichtet. Sind es Abwehrpopanze gegen Dämonen aus dem Westen? Glauben die Schüssel-Provinz-Großnasen, daß ihnen aus dem Westen Gefahr droht? Ich werde versuchen, es im Laufe meines Aufenthaltes hier zu erkunden.

Der fahrbare Eisenschlauch zog sechs Stunden über Berg und Tal, dann erreichte er die große Stadt Lip-tsing. Die Leute sprechen hier leider nicht mehr die Sprache Deutsch, jedenfalls nicht so, daß ich sie verstehe. Sie sprechen, wurde mir gesagt, eine Sprache, die Seng-xi heißt, und die alle anderen Großnasen als äußerst komisch empfinden. Aber die Stadt Lip-tsing ist stark schön und verfügt über viele mit Gold verzierte Gebäude. Diese Pracht aber, sagte man mir, ist neu, denn in der ganzen Schüssel-Provinz hat sich ein starker Wandel vollzogen, den die Seng-xi-Großnasen als »die große Umwendung« bezeichnen. So Herr Fürsprecher Wing bei dem erwähnten Gespräch. Um es Dir zu erklären, muß ich weiter ausholen:

Es hat in diesem Reich der Großnasen zwei verfeindete Provinzen gegeben: die Schwarze und die Rote Provinz. Sie haben sich nach dem letzten Großen Krieg herausgebildet, in dem – ganz verstehe ich es nicht – irgendwie eine dritte Provinz zwischen Schwarz und Rot tonangebend gewesen sein muß: eine Weiße Provinz, und dieses aus Schwarz, Weiß und Rot zusammengesetzte Reich, das sich mächtig groß aufgeführt zu haben scheint, hat in jenem Krieg ganz gewaltige Schläge bekommen. Sie haben den Schwarz-Weiß-Roten, um einen etwas anrüchigen Ausdruck zu gebrauchen, das Gesäß bis zum Genick aufgerissen, worauf das Weiß verschwunden ist, in der Mitte durchgefallen, und es sind die erwähnten beiden Provinzen übriggeblieben. Jede hat behauptet, die ordentliche Nachfolgerin eben jenes verwichenen Reiches zu sein. Es ist wohl der seltene Fall, daß zwei Gegenstände A und B jeweils mit dem Gegenstand C identisch sind, miteinander aber nicht. Daß das mit der Grundlogik nicht vereinbar ist, sähe bei uns jedes Kind ein, die Großnasen haben es aber nicht verstanden. Überhaupt waren die Großnasen, sowohl die Schwarzen als auch die Roten, in den fünfzig Jahren seit jenem Krieg damit beschäftigt – nein, nicht wie Du meinst, nicht die Wunden zu lecken und etwa auf Rache zu sinnen – nein, sie waren damit beschäftigt, ihre Blamage wegzuerklären. Das ist letzten Endes damit gelungen, daß jeder behauptet, er habe von jenem Krieg nur undeutlich Nachricht gehabt. Er sei mit anderem beschäftigt gewesen. Selbst die schwarz-weiß-roten Mandarine und Generäle waren anderweitig beschäftigt, haben allenfalls ihre Pflicht getan. Sie haben sozusagen geschossen, aber nicht geahnt, daß der Pfeil eine Spitze hat. Alle haben alles auf einen Großen Diktator geschoben, der Tsao-an-hun-djia* geheißen und sich nach der Niederlage in Luft aufgelöst hat.

Wenn ich die Reden der Großnasen aber recht verstehe, so hat selbst dieser Tsao-an-hun-djia keine Ahnung von den Greueln gehabt, und so fühlen sie sich »schuldlos-schuldig«, ein Spruch übrigens ihres Lieblingsmusikmeisters Wang-Na, für den jener Tsao-an-hun-djia eine große Vorliebe gehabt hat.

Nun gut. Die Rote und die Schwarze Provinz standen sich viele Jahre lang feindlich gegenüber, und – so behaupten die Schwarzen – man habe, zumindest auf schwarzer Seite, Tag

---

* Dies bedeutet: »der Anstreicher aus der Grashütte«, ein ohne Zweifel despektierlicher Ausdruck.
  (Anm. des Übersetzers.)

und Nacht mit Tränen und blutendem Herzen an nichts anderes gedacht, als an die wiederzuerlangende Vereinigung (ehrlich gesagt: ich habe nie dergleichen wahrgenommen, sie müssen ihren Trennungsschmerz sorgsam verborgen haben), und endlich hat der Obermandarin der Schwarzen, ein ganz Dicker namens Ko, dem beim Reden immer die Zunge aus dem Mund schnellt, den Stier bei den Hörnern gepackt und die Roten vertrieben und zerstampft und die Rote Provinz der Schwarzen einverleibt. Habe ich zunächst gemeint. Der Rote Obermandarin namens Ho-neng-ning war aber auch nur ein grämlich blinzelnder Verkniffling und dem Großen Ko nicht gewachsen. Der Große Ko ist, habe ich feststellen können, seitdem noch größer und wohl noch dicker geworden (er wirkt jetzt wie ein sehr großer Eunuch), und alle reden und tun so, als seien mit dieser Wiedererlangten Vereinigung alle, alle Probleme gelöst. Sie werden sich umschauen, vermute ich. Aber ich muß nochmals weiter ausholen:

Die Großnasen glauben, so habe ich Anlaß zu vermuten, daß ihr jeweiliger Obermandarin vom Himmel gesandt wird. Um festzustellen, wer der vom Himmel gesandte Obermandarin ist, bedienen sie sich einer eigenartigen Methode. Sie nennen es »Wahl«, aber es ist eine Art Lotterie. Alle Großnasen sind aufgefordert, Zettel mit Zahlen und Namen in Kästen zu werfen. Der Kandidat, der die meisten Zettel gewinnt, gilt als vom Himmel gesandt. (Angesichts des allgemein zu beobachtenden Stumpfsinns des Großteils der Großnasen, halte ich es für ausgeschlossen, daß sie sich bei dieser Methode der Vernunft bedienen. Es handelt sich also wieder um eine Art Aberglauben). Aber es ist nun auch so, daß die Himmelsgnade für den Obermandarin nach vier Jahren stark verblaßt. Die Weihe durch Zettel muß wiederholt werden. Der Zeitpunkt war kurz nach jener Ersehnten Vereinigung gekommen. Das erzählte mir alles Herr Fürsprecher Wing. Es gab einen Gegenkandidaten gegen den dicken

Ko: er hieß Shang-ping, und jedermann wußte, daß der nie und nimmer Obermandarin werden könne, und niemand konnte sich ihn als solchen vorstellen, niemand wußte aber: warum nicht? Dieser Shang-ping war nicht unsympathisch, nicht schmutzig, von Bestechlichkeit ward noch nichts gehört, er war nicht blöd, jedenfalls nicht blöder als die anderen Mandarine, dennoch: jeder wußte: der ist nicht vom Himmel gesandt. Warum?

Ich, Du wirst staunen, habe es herausgebracht, denn Herr Wing zeigte mir ein Bild: Shang-ping hatte einen zu langen Hals. Alle Mandarine, Provinzstatthalter, Obermandarine usf. haben einen kurzen Hals, immer gehabt. Warum das so ist? Ich weiß es nicht. Es ist eben so. Rätselhaft wie vieles im Lande der Großnasen. Nur Shang-ping hat einen langen Hals. Derselbe hat ihm denselben gebrochen, politisch gesehen. Seltsam.

Aber noch seltsamer ist die Euphorie der Großnasen seit der Ersehnten Vereinigung. Sie meinen, das Weltall ist seitdem in Ordnung. Es kommt mir so vor, als habe einen Krebskranken jahrelang ein Hühnerauge gedrückt, und jetzt, nachdem das Hühnerauge endlich entfernt ist, glaubt er sich vor Freude ganz gesund. Nun gut, meine Welt ist es nicht; aber es ist ganz interessant, die Narren zu beobachten.

Als ich aber – mittels des fahrbaren Eisenschlauches – hier in Lip-tsing angekommen war, mußte ich feststellen, daß die Sache ganz anders war. Kein kriegerischer Sieg des Mandarins Ko. Auch da muß ich weiter ausholen. Die Rote Provinz hatte ein seltsames Regierungssystem. Dem Volk wurde gesagt, es brauche nichts sorgen und nichts denken, das erledige alles der große Le-ning (das scheint eine Art spitzbärtiger Dämon gewesen zu sein), man brauche nur das tun, was jener Ho-neng-ning, ein Adept des Le-ning, vorschreibe, und alles gehe gut. Das läßt sich der Mensch natürlich nicht zweimal sagen. So brauchten die Leute in der Roten Provinz nur laut »Oh großer, gütiger Le-ning« zu schreien, und konnten im übrigen die Fünfe grade sein lassen. Es gibt immer ein paar, logisch, das kennen wir auch, die maulen und motzen, aber die wurden von Ho-neng-ning am Kopf gepackt oder zu den Schwarzen hinübergejagt. Die Übrigen wurden versorgt. Recht und schlecht, wie sich denken läßt, wenn niemand arbeitet. Außerdem gingen den Großnasen der Roten Provinz gewisse gebogene Gelb-Früchte ab (an sich Affennahrung, aber, so scheint es, ein gewisses Statussymbol der Großnasen) und größere und bessere A-tao-Wagen. Wenn die Schwarz-Großnasen mit ihren großen, glänzenden A-tao-Wagen an der Grenze auf und ab fuhren und die gebogenen Gelb-Früchte schwenkten, wurden die Roten grün vor Neid – keine schöne Farbzusammenstellung; und so trat doch mit der Zeit Aufmüpfigkeit auf, und der Ho-neng-ning mußte, schwach gerechnet, hinter je zwei seiner Untertanen einen Aufpasser stellen und hinter zwei Aufpassern einen Aufpasser-Aufpasser, und das kostet Geld, zumal niemand eigentlich arbeitet, und endlich brach das System in sich zusammen, und zwar – ich habe das wohl nicht ganz verstanden – dadurch, daß man an ein paar Montagen hintereinander eine Anzahl Kerzen auf die Straße stellte.

Es muß ein papierener Staat gewesen sein, und ein papierener Dämon Le-ning, daß er durch ein paar Kerzenflammen in Rauch aufgegangen ist.

So war es also wirklich; nicht wie ich anfangs vermutet hatte. Der Obermandarin Ko ist nicht in die Rote Provinz gerollt, nein, die Rote Provinz ist dem Dick-Ko wie der reife Apfel in den Schoß gefallen. Dennoch behauptet er, es sei *sein* Verdienst. Und das erstaunlichste, die Leute glauben es.

Die Sang-xi-Großnasen sind aber überglücklich – gewesen. Sie haben sofort größere A-tao-Wagen und soviel gebogene Gelbfrüchte bekommen, wie sie wollten. Aber nach und nach ist ihnen gedämmert, daß sie nun für sich selber denken müssen. Kein Le-ning denkt mehr für sie. Es ist ja nicht zu leugnen, teurer Dji-gu, daß es auch bei uns nicht anders ist. Das Denken ist die härteste Fron, die den Leuten da unten auferlegt werden kann.

Ja, und deswegen sind jetzt, nach fünf Jahren, alle unzufrieden; die Schwarzen von drüben, wahrscheinlich, weil sie einen Teil ihrer gebogenen Gelb-Früchte hier abliefern müssen und die Sprache der Sang-xi nicht verstehen, die Sang-xi, weil plötzlich niemand mehr für sie denkt. Es gibt einen ehemaligen Untermandarin der Roten Provinz, er ist stark kugelköpfig und heißt Gi-si, der macht sich laufend anheischig, für die Sang-xi wieder zu denken – aber das wollen die nun auch wieder nicht. Kenne sich einer aus, der will – wahrscheinlich befürchten sie, daß sie dann wieder keine gebogenen Gelb-Früchte mehr kriegen.

Soweit also die großen Veränderungen, die im Reich des Obermandarins Ko und angeblich mehr oder weniger in der ganzen Großnasen-Welt vorgefallen sind, für Dich in verständliche Form gebracht aufgrund dessen, was mir Herr Fürsprecher Wing mitgeteilt hat.

Und so kam ich in Lip-tsing an und zwängte mich aus dem fahrbaren Eisenschlauch –

– und stellte fest, daß mir fast mein ganzes Geld gestohlen worden war. Diese Großnasen, diese Rotznasen, diese teuflischen Weißgesichter mit ihren Schaufelhänden – warum hat mich Herr Fürsprecher Wing nicht gewarnt? Ist man seines Lebens nicht mehr sicher? Sind die Großnasen alle Ratten geworden? Habe ich mir diese paar Geld-Briefe nicht sauer genug mit dem Flug durch die Luft verdient? Ich habe keine Ahnung, wie es passiert ist. Wahrscheinlich, während ich schlief. Das eintönige Rattern des Eisenschlauches schläferte mich ein – das muß der Dieb ausgenutzt haben. Zum Glück hatte er meine Zeitmaschine, meine Aufzeichnungen und die übrigen Sachen unberührt gelassen, nur das Geld gestohlen.

Mir blieb ein einziger blauer Geld-Brief und etwas an kleineren Geld-Briefen und Münzen. Das ist alles miteinander nicht viel. So stand ich da, in der schönen Stadt Lip-tsing, die mir noch fremder ist als Min-chen.

Und, Du ahnst es schon, es regnete.

*

Hier gibt es zweierlei Menschen: Os-si und Wes-si, abgesehen von stark vielen östlichen Insel-Zwergen. (Wie die hierherkommen, mag der Kuckuck wissen.) Die Os-si sind recht leicht voneinander zu unterscheiden. Die Os-si männlichen Geschlechts haben kleine bürstenartige Bärtchen auf der Oberlippe, die Os-si weiblichen Geschlechts, sofern sie nicht sehr alt sind, haben starkfarbene Haare: rot oder orangengelb oder violett oder grün. Die alten Os-si sind meist dick und hinken. Das kommt davon, sagte Hei-tsi, genannt »der Großfuß mit dem schwarzen Zahn«, daß zu Zeiten jenes Obermandarins Hong-neng-ning oder, wie jene Zeiten auch genannt werden, »vor der Großen Wendung« es nur ungenügende »Shu-he« gegeben habe. Das sind jene an sich schon unbequemen Futterale aus hartem Leder, in die die Großnasen ihre Füße zwängen. (Es gibt auch andere »Shu-he«, die sind aus einer undefinierbaren Masse, oft stark farbig, äußerst kompliziert, meist dreckig und erzeugen Fußschweiß. Besonders bei jungen Leuten sind solche Farb-Shu-he beliebt.) Zu Zeiten des verwichenen Hong-neng-ning also, als noch an den Dämon oder Götzen Le-ning geglaubt wurde, hat es nur *eine* Werkstätte, eine riesige solche gegeben, die Schuhe gemacht hat. Nun haben, wie man weiß, die Leute verschieden große Füße. Darauf konnte jene Werkstätte, sie nannte sich »Banner des Friedens« – warum, wußte Hei-tsi nicht –, keine Rücksicht nehmen. Sie vereinfachte die Sache und nahm das Maß vom größten Fuß der Roten Provinz.

(Ich stelle mir vor, daß alle Großfüße zusammengerufen wurden; sie mußten sich hinsetzen und die Füße ausstrecken. Der Obermandarin, der grämliche Hong-neng-ning, schritt die Reihe ab, vielleicht mit einem Maßband, und stellte den größten Großfuß fest.) Die Werkstätte »Banner des Friedens« kalkulierte, daß der so gewonnene Groß-Schuh allen paßt, vom größten Groß-Fuß herunter bis zum kleinsten. Die Os-si mit kleinen Füßen mußten eben die Fußfutterale vorn ausstopfen. Dazu benutzten sie das »Neue Land, in dem wir Os-si leben«. Du wirst fragen, was das ist. Das ist eine Art Plakat, das aber nicht an die Wand geklebt, sondern gefaltet und an die Bevölkerung verteilt wird. Es heißt Tseitung, gibt es überall, auch im Westen, und darin stehen lügenhafte Bemerkungen abgedruckt. Die Tsei-tung »Neues Land, in dem wir Os-si leben« tat sich in der Hinsicht besonders hervor, und so konnte man damit ohnedies nichts anderes anfangen, als die Fuß-Futterale vorne auszustopfen. Aber dennoch, sagt Hei-tsi, sind die Os-si häufig gestolpert, und daher sind sie fußmarod und hinken. Hei-tsi weiß das alles, denn er ist selber ein Os-si und muß es wohl wissen. Auch er hinkt, aber eher deswegen, sagt er, weil er sich letzten Winter die Zehen abgefroren hat.

Die Wes-si allerdings hinken nicht. Sie haben lange Mäntel an (die Os-si tragen meist nur kurze, gern pflaumenfarbig) und haben schmale, flache Taschen bei sich, in denen sie, so Freund Hei-tsi, lauter Geldbündel mit sich tragen, mit deren Hilfe sie alle jene Häuser kaufen, die noch nicht zusammengefallen sind. Lip-tsing war, so Hei-tsi, vor fünf Jahren praktisch ein Schutthaufen. So auch alle anderen Städte in der Roten Provinz. Jeden Tag seien zum Gaudium derer, die nicht darin gewohnt haben, mehrere Häuser zusammengefallen. Aber den Lachern sei das Lachen meist bald vergangen, wenn ihre Häuser dran waren.

»Wenn du«, sagte Hei-tsi und wickelte sich in seine leider

nicht sehr saubere Decke, »hinter die Häuser schaust, die die Wes-si schon mit goldenen Schindeln gedeckt haben, so siehst du noch den Schutthaufen, der Lip-tsing war.«

»Ich habe ihn gesehen«, sagte ich, »wo aber warst *du*?«

»Im Gefängnis«, sagte er.

»So«, sagte ich, »warum?«

»Weil ich einen Witz über den Hong-neng-ning laut erzählt habe.«

»Und die Gefängnisse sind nicht zusammengefallen?«

Hei-tsi lachte: »Es gibt Trottel, die sagen, bei uns –« er meinte die Rote Provinz vor der Großen Vereinigung »– *sei auch nicht alles schlecht gewesen* –« er lachte nochmals »– das stimmt: die Gefängnismauern waren die besten der Welt. Und unsere Gesäße suchen ihresgleichen: vom vielen Sitzen.«

*

Lip-tsing ist eine große Stadt. Wie soll ich in diesem Gewirr einen Geprüften Gelehrten finden, dessen Namen nicht anders lautet als Shi-shmi? Du mußt wissen. Shi-shmi ist hier ein Allerweltsname wie bei uns Li. Aber selbst wenn mein Freund und Geprüfter Gelehrter nicht Shi-shmi hieße, sondern »Mit fröhlicher Farbe bedeckter Haar-Hund«, wäre er schwer zu finden. Aber ich bin ja in der Welt der Großnasen nicht ganz von gestern. Ich wußte mir zu helfen – meinte ich. Aber langsam!

Der fahrbare Eisenschlauch, der mit atemberaubender Geschwindigkeit über Berge und Täler fuhr, hielt plötzlich. Das ist immer so: Du prallst an die Wand, dein Gepäck fällt von der Ablage dir auf den Kopf, und du bist – wenn du Glück hast – dort angekommen, wo du hinwolltest. Der fahrbare Eisenschlauch war in eine Höhle geschlüpft, in der zahllose solche Eisenschläuche fauchten und brüllende

Großnasen herumrannten. Meist zerrten sie kleine Kinder oder viereckige Trag-Säcke hinter sich her, oder beides. Von außen sieht die Höhle aber wie ein Palast aus, die Höhle in Lip-tsing sei, hat mir Hei-tsi gesagt, die größte im ganzen Lande der Großnasen. In der Höhle laufen aber schöngekleidete Untermandarine herum, die die Eisenschläuche befehligen, und einige dieser Schöngekleideten sitzen in einem Häuschen innerhalb der Höhle und darüber steht »Information«.

Ich, gewitzt also, erkundigte mich. Daß es aussichtslos ist, nach einem noch so berühmten Geprüften Gelehrten zu fragen, wußte ich. So fragte ich nur nach dem Ort der Allumfassenden Versammlung der Gelehrten und erfuhr – allerdings nach anfänglichen Mißverständnissen, die auf die mir nicht geläufige Spielart der Großnasensprache zurückzuführen ist – tatsächlich, daß sich diese Institution nicht weit von der Eisenschlauch-Höhle befinde.

Also machte ich mich auf den Weg dorthin. Ich wunderte mich, daß die Straßen so gut wie menschenleer waren. Eine beängstigende Stille lag über den Steinwegen. Es stank befremdlich. Allerdings regnete es wenigstens nicht.

Ich ging in die Richtung, die mir jener freundliche Schöngekleidete gewiesen hatte. Kaum ein A-tao-Wagen war unterwegs, wo doch sonst tausende das Leben unsicher machen. Ich konnte mir die Situation nicht erklären und sagte mir, daß eben die Lebensgewohnheiten der Großnasen unergründlich sind. Manchmal rennen sie aus den Häusern, manchmal bleiben sie drinnen.

Auch ohne die Aufklärung, die mir später mein neuer Freund Hei-tsi gegeben hat, erkannte ich, daß man hier in Lip-tsing nur vorsichtig an den Häusern entlanggehen darf – und ja nicht zu fest auftreten. Sonst fällt einem ein Stück Mauer auf den Kopf. Ich ging also in der Mitte der Straße. Das war möglich, weil ja so gut wie keine A-tao-Wagen unterwegs waren. So kam ich an das Gebäude der Allumfassenden Versammlung der Gelehrten. Was heißt: Gebäude. Es war eine Ansammlung von Gebäuden, eins davon ragte in den Himmel – so weit... ich beugte den Kopf nach hinten, um sein oberes Ende zu sehen, wurde schwindlig und fiel hin. Zum Glück in ein Rasenstück.

Nun gut. Ich rappelte mich wieder auf und betrat das nächstliegende Gebäude durch ein Tor, das mir wie ein Haupttor erschien. Auch hier war kein Mensch. Ich irrte durch Höfe und Gänge, endlich fand ich einen Geprüften Gelehrten, der einen Besen in der Hand hatte. Du mußt wissen: in solchen Allumfassenden Versammlungen der Gelehrten wird jedwede Gelehrsamkeit verkündet. Es gibt da die unglaublichsten Sachen. Es gibt Gelehrte, die lehren, wie Gott aussieht und solche, die lehren, woraus Rindsmilch besteht. Ich sagte also mit einer Siebtel-Verbeugung:

»Oh edler Greis, uralter Ahne aller Besen-Gelehrsamkeit, sollte mir die Blüte deiner Großmut soweit geneigt sein, mir zu sagen – obwohl ich dessen nicht würdig bin – ob ich hier irgendwo den Geprüften Gelehrten Shi-shmi finden kann?«

Er sagte aber nur: »Hä?« und schaute mich an, als hätte ich zwei Nasen gehabt.

Ich begann zu erkennen, daß es sich bei dem Mann mit dem Besen wohl um einen eher untergeordneten Gelehrten handeln müsse und wiederholte meine Frage in etwas vereinfachter Form.

Darauf antwortete er: »Nöö«, drehte sich um und fuhr fort, zu kehren.

Also offenbar kein Gelehrter, sondern nur ein Diener. Ich nahm eine Münze nicht zu großen Wertes aus meiner Tasche, reichte sie ihm und wiederholte nochmals verkürzt die Frage.

Nach mehreren Rückfragen und Mißverständnissen verstand ich, was er antwortete: erstens gebe es sieben Geprüfte

Gelehrte mit Namen Shi-shmi; zweitens sei heute keiner davon im Haus, denn heute sei einer der höchsten Feiertage (aha! daher die leeren Straßen) und drittens sei zur Zeit überhaupt kein Geprüfter Gelehrter da, denn es herrschten Ferien, und die Geprüften Gelehrten seien auf eine ferne Insel im Meer gefahren, die Ma-lo-ka heißt.

»Alle?« fragte ich erstaunt.

»Naja«, sagte er und lachte, »der eine oder andere vielleicht nach Ti-long in die Berge zum Schneewälzen.«

Was sollte ich tun? Ich schlurfte hinaus. Ja: ich schlurfte. Die Fahrt im selbstfahrenden Eisenschlauch hatte mich müde gemacht. Ich war niedergeschlagen. Es war abzusehen, daß mir das Geld ausgehen werde. Sollte ich warten, bis Herr Geprüfter Gelehrter Shi-shmi zurückkehrt? Wann wird das sein? Ich hatte den Diener mit dem Besen noch danach gefragt. Er hat es nicht gewußt. »Das weiß kein Mensch«, hat er gesagt, »sie tun alle nur noch, was sie wollen. Seit der *Großen Umwendung* herrscht keine Ordnung mehr«, nahm seinen Besen, wirbelte etwas Staub auf und verschwand.

Vor dem Gebäude erstreckte sich ein großer Platz. Einige kümmerliche Sträucher krümmten sich der mageren Sonne entgegen. Auf einer Bank saß eine Gestalt ohne Gesicht. Ich erschrak und blieb stehen. Es öffnete sich ein Spalt in einem kopfgroßen Ball aus grau-weißem, stellenweise gelbem Filz, und durch den Spalt drängte eine Stimme und sagte: »Na?« Da bemerkte ich, daß sich zwei weitere Spalten in dem Filz befanden, aus denen kleine Augen blitzten. Also doch ein Mensch. Ich verbeugte mich zu zwei Siebtel.

»Du bist nicht von hier?« fragte der Filzball, ohne sich im übrigen zu rühren. Er saß da und hatte die Beine weit von sich gestreckt und die Arme breit auf die Rückenlehne der Bank gelegt.

»Nein«, sagte ich.

»Und was bist du für einer?« fragte er.
»Ein Unglücklicher«, sagte ich.
Da lachte er laut.
»Der Unglückliche. Sehr gut. Der Unglückliche. Alle anderen sind glücklich, wie? Der Unglückliche. Setz dich her.«
Er nahm den einen Arm von der Rückenlehne, um mir Platz zu machen. Ich setzte mich. Es war gut, daß ein leichter Wind ging, denn der filzköpfige Mensch roch stark nach Essig und auch etwas nach verbranntem Horn.
»Was ist heute für ein Feiertag?«
Er gebrauchte einen mir nicht geläufigen Ausdruck. Durch Fragen konnte ich herausbringen, daß es der Tag war, an dem die Großnasen das Gedenken daran feierten, daß ihr Gott an die Wand genagelt wurde.
Über dem Tor, durch das ich wieder ins Freie getreten war, hing ein übergroßes Kunstwerk, das verschiedene Menschen in atemberaubenden Verrenkungen darstellte, alles ganz aus schwarzem Stein, und inmitten ein außer jedem Verhältnis großer Kopf. Der Kopf war in aus Stein gemeißeltem Filz gehüllt, fast so wie beim Mann auf der Bank.
»Aha«, sagte ich, »das da, der aus schwarzem Stein, ist der an die Wand genagelte Gott.«
Der Mann lachte. »Du bist gut«, sagte er, »herrlich. Haha. Das ist niemand anderer als der Ka-ma. Obwohl – es ist noch gar nicht lang her, da war er praktisch ein Gott.«
»Wurde der auch an die Wand genagelt?«
»Leider nein«, sagte der Mann, »er hat uns alle fünfzig Jahre lang schikaniert. Alle Os-si. Die Wes-si nicht.«
Ich vergaß für eine Zeit meine mißliche Situation, denn die Sache begann mich, wie Du Dir denken kannst, zu interessieren.
Ich erfuhr – meist durch Fragen, ja durch eindringliche Fragen, denn der Mann, er ist, wie Du Dir inzwischen denken kannst, mein neuer Freund Hei-tsi, ist ziemlich mund-

faul – ich erfuhr also, daß jener Ka-ma vor etwa hundertfünfzig Jahren eine religiöse Sekte gegründet hatte, deren Lehre besagte, daß es wenige Reiche und viele Arme gibt. Na ja, dazu braucht es nicht viel Nachdenken. Der Ka-ma schloß aber weiter, daß dieser Zustand nur andauert, weil die Armen zu blöd sind, und daß sie, wenn sich die Armen zusammentun und die Reichen erschlagen, selber reich werden. Das scheint mir – ich sagte es auch Hei-tsi, der mir zustimmte – der erste Irrtum jenes Ka-ma gewesen zu sein, denn selbst nach oberflächlicher Berechnung ergibt sich, daß, wenn aller Reichtum aller Reichen verteilt wird, auf jeden Armen ein ganz unbedeutender Anteil entfällt.

»Ja«, sagte Hei-tsi, »und den versäuft er in drei Tagen.«

Aber ein Gott rechnet nicht, wie man weiß, auch Gott Ka-ma nicht. Er verfaßte ein Manifest, und das zog Kreise, klar, denn viele glaubten ihm und meinten, jetzt und jetzt werden sie reich – wobei man gerechterweise sagen muß (das weiß ich von früheren Gesprächen mit Herrn Shi-shmi bei meinem ersten Aufenthalt in der Welt der Großnasen), daß es den Armen, die die Arbeit getan haben, dazumalen sehr schlecht ging. Ganz unverständlich ist es nicht, wenn die Volkshefe, wenn sie zu sehr gedrängt und gedrückt wird, aufgeht –

Jener Le-ning, von dem schon die Rede war, wurde quasi ein Schüler des Ka-ma und fuhrwerkte in dessen Lehre herum, indem er das erkannte, was ich vorhin dachte: daß nämlich der Reichtum der ganzen Erde nicht ausreicht, um alle reich zu machen. Der Unter-Gott Le-ning sagte also: Gerechtigkeit herrscht nur, wenn alles allen gehört, wenn keiner was eigenes hat, wenn alle an einem Strang ziehen, einander lieben und helfen und nur stets das Gemeinwohl im Auge haben.

»Hoho!« sagte ich, »dazu müßte der Mensch *gut* sein –«

Das sagte Le-ning auch, das heißt: daß der Mensch nicht

gut ist. Daß der Mensch vielmehr eine Bestie ist, die auf nichts aus ist, als seinesgleichen mit den Zähnen zu zerreißen. Also, hat Unter-Gott Le-ning klar geschlossen, da der Mensch nicht erkennt, was ihm wirklich frommt, muß der Mensch zu seinem Glück gezwungen werden.

Den Zwang zum Glück übernahmen Le-ning und seine Mandarine – versteht sich, daß die Zwingenden, weil sie ja die Verantwortung trugen, besser ernährt werden mußten als die Künftig-Glücklichen – und das endete damit, daß, wie ich schon sagte, hinter zwei Noch-Nicht-Ganz-Glücklichen zwei Le-ning-Aufpasser standen, die dafür sorgten, notfalls mit Prügeln, daß sie immer glücklicher wurden, und hinter zwei Aufpassern ein Aufpasser-Aufpasser, daß ja die Aufpasser den Noch-Nicht-Ganz-Glücklichen die richtige Glückslehre einbleuten.

»Ich verstehe«, sagte ich, »nur wüßte ich gern noch: warum hüllt auch der Ka-ma seinen Kopf und fast sein ganzes Gesicht in Filz ein? friert er, wie du?«

»Wie? was?« fragte Hei-tsi.

»Schau doch – der Kopf ganz in Filz.«

Hei-tsi lachte: »Das ist kein Filz, das ist der Bart. Der berühmte Bart des Ka-ma. Nicht einmal über den Bart durfte man Witze machen.«

Wir beschlossen, ein Stück weiterzugehen, um uns durch die Bewegung etwas zu erwärmen. Wir gingen vielleicht eine halbe Stunde, dann fanden wir wieder eine Bank in einem Park an einem kleinen See. Fast idyllisch. Aber nur fast. Es stank immer noch. Wir setzten uns. Ich wußte nicht, ob der Gestank aus der Luft oder von Hei-tsi kam.

*

»Und du?« fragte dann Hei-tsi, »du bist nicht von hier?«
»Ich bin von Hinter-dem-Mond«, sagte ich und tat ernsthaft.

Hei-tsi lachte. »In unseren Kreisen«, sagte er und lachte nochmals, »in unseren ganz feinen Kreisen fragt man nicht weiter, woher einer kommt und wohin er geht. Sehr gut: du Hinter-dem-Mond-Mensch. Und wo schläfst du?«

»Ehrlich gesagt«, antwortete ich, kam aber nicht weiter, weil mich Hei-tsi mit neuerlichem lauten Lachen unterbrach und dann sagte: »Dachte ich's mir doch. Hast du Geld?«

»Wenig«, sagte ich.

»Das heißt: immerhin etwas. *Ich* habe gar keins. Ich mache dir einen Vorschlag. Wir gehen einen heben, und dann sorge ich dafür, daß du irgendwo im Trocknen schlafen kannst.«

Ich willigte ein. Ich ahnte, daß wir nicht einen Stein oder eine vielleicht füllige Dame aufheben wollten. Vielmehr handelte es sich um eine poetische Umschreibung für den Besuch einer Schänke und den Verzehr eines oder – wie meist – mehrerer berauschender Getränke dortselbst. Und so war es auch. Hei-tsi zerrte mich in eine ziemlich weit entfernt gelegene Schänke in einem der Häuser, die von den Wes-si noch nicht gekauft und erneuert waren. Die Straße war finster und voll Unrat. Das Haus, in dem die Schänke untergebracht war, gehörte wohl zu jenen, bei denen baldiges Umfallen zu erwarten war. Heute, dachte und hoffte ich, wird es wohl noch stehenbleiben.

Hei-tsi trank mehrere Klein-Gefäße mit klarer, aber nach zertretenen Läusen riechender, leicht öliger Flüssigkeit. Ich nippte auch an so einem Gefäß. Es senkte sich unverzüglich ein schwarzer Vorhang vor meinen Augen herunter, der dann rasch ins Grünliche changierte, rote, dann gelbe und zuletzt weiße Feuerräder drehten sich in meinem Kopf und erzeugten ein Geräusch wie beim Messerschleifen. Ich rang nach Atem. Vermutlich war ich kurze Zeit ohnmächtig; als ich wieder zu mir kam und der Vorhang sich wieder hob, trank Hei-tsi (so zählte man später) eben das vierte Klein-Gefäß, ohne mit einer Wimper zu zucken. Er trank noch weitere acht Klein-Gefäße, worauf seine Sprache etwas undeutlich wurde; aber im Übrigen war er unverändert und konnte noch aufrecht gehen.

»Eiserne Übung«, erklärte er auf meine Frage, ob sich denn nicht auch bei ihm ein schwarzer Vorhang senke.

Ich mußte zahlen – gut, das war mir klar, da ja Hei-tsi schon gesagt hatte, daß er über kein Geld verfüge. Ich besaß ja noch einen Rest meiner Trost-Geld-Briefe.

Wir stolperten dann hinaus. Hei-tsi sang schöne Lieder, die weithin durch die Nacht klangen, aber bei den Leuten in den Häusern nicht auf einhellige Zustimmung stießen. Ein Kochgeschirr verfehlte nur um wenig meinen Kopf. Bald aber kamen wir in freiere Gegend mit Bäumen, Büschen und Zäunen. Die Wege wurden stark schlammig (wie bei uns).

Ich muß eine Beobachtung nachholen, die ich schon aus dem selbstfahrenden Eisenschlauch heraus gemacht habe: die Rote Schüssel-Provinz ist überzogen, ja überkrustet mit unsäglich häßlichen kleinen Bretterbuden, die alle inmitten von etwas stehen, was man mit Mühe als Garten erkennt. Gerümpel von übermenschlicher Vielfalt ist in diesen sogenannten Gärten und um die Buden herum aufgehäuft. Sehr dicke Menschen mit madenartigen Kindern und schlafrollenförmigen Hunden wälzen sich zwischen den Buden oder kratzen mit rätselhaften Geräten im Gras herum. Da-tscha, so erklärte mir Hei-tsi, nennt man diese Buden und Gärten, und sie seien der Stolz der Os-si.

»Aber psst«, sagte er, »normalerweise halten sie sich zur Nachtzeit nicht hier auf, doch wer weiß –«

Wir schlichen eine Weile zwischen den Da-tscha herum. Es war schrecklich finster, und ich trat mehrfach in Schlammlöcher, aber Hei-tsi führte mich mit traumwandlerischer Sicherheit in ein etwas größeres und festeres Da-tscha, das wir durch das Fenster betraten.

Wir legten uns hin. –

Da mich die Zusammenhänge in der Geschichte der Länder der Großnasen interessierten, fragte ich Hei-tsi allerlei. So erfuhr ich, daß es zu Zeiten der Roten Provinz und des Helden Ho-neng-ning nicht erlaubt war, ohne weiteres außer Landes zu reisen. Nur einmal, zu jener Zeit, sei es Hei-tsi gestattet worden, in die Schwarze Provinz zu reisen. »Und?« fragte ich. Hei-tsi brummte: »Dort war sogar das Gras grüner.«

Leider aber habe er dort jenen Witz gehört, der ihm zum Verhängnis geworden sei.

Du wirst fragen, was das ist: ein Witz. Wir kennen dergleichen nicht. Witze sind ganz kurze Erzählungen, die die Großnasen für komisch halten. Sie treten in drei Formen auf: entweder befassen sie sich mit den politischen Umständen oder mit dem Geschlechtsleben oder mit allgemeinen Mißlichkeiten. Sofern sie für mich überhaupt verständlich sind, entspringen sie so gut wie immer schadenfroher Gesinnung und werfen damit ein helles Licht auf die Seelenstruktur der Großnasen. Witze werden überall erzählt; du entgehst ihnen kaum; am gefährlichsten sind sogenannte *Bolde der Witze,* die dich festhalten und dir den angeblich neuesten Witz erzählen, ob du ihn hören willst oder nicht.

In der Roten Provinz, erwähnte Hei-tsi, waren Witze von höherer Bedeutung. Sie waren, da es gefährlich war, sich ungebührlich über die Obrigkeit zu äußern, die einzige Möglichkeit, seinem Unmut über die Zustände Luft zu machen. Selbstverständlich waren solche Witze verboten und durften den erwähnten Aufpassern nicht zu Ohren kommen. Ob die Aufpasser ihrerseits Witze erzählten, die die Aufpasser-Aufpasser nicht hören durften, war Hei-tsi nicht bekannt. Er glaubte: eher nicht. Keine Witze erzählte der Held Ho-nengning, sagte Hei-tsi. Ich glaube das gern. Soviel ich auf den Bildern gesehen habe, die mir von ihm vor die Augen kamen, hat es sich bei ihm um einen stets verkniffen blickenden Trübling gehandelt, der ständig ein Gesicht machte wie ein beflissener Schüler, der nichts erreicht und sich über den genialen Faulpelz auf der Bank daneben ärgert.

Von dem Ho-neng-ning handelte die kurze Lach-Erzählung, die Hei-tsi in der Schwarzen Provinz gehört und zu seinem Verderben in der Roten Provinz weitererzählt hat:

Wie Potentaten gelegentlich tun – angeblich, bei uns wird ja auch dergleichen berichtet –, verkleidete sich Ho-neng-ning, klebte sich einen unkenntlich machenden Bart an und ging in der Hauptstadt umher, um zu erforschen, was seine Untertanen wirklich von ihm denken. Er traf einen Mann in einer Schänke und fragte ihn: »Sag' einmal, was hältst du von dem Ho-neng-ning?« Der Angeredete erschrak, blickte sich um, zog dann den verkleideten Ho-neng-ning nach draußen, blickte sich wieder um, zog ihn in eine verschwiegene Ecke zwischen den Häusern, vergewisserte sich scheu, daß ihn niemand höre und flüsterte dann: »Ich find' ihn gar nicht so schlecht.«

Hei-tsi erzählte, kaum aus der Schwarzen Provinz zurückgekehrt, die kurze Lach-Erzählung seinem besten Freund. Seinem *angeblich* besten Freund. Am nächsten Tag holten ihn die Schergen des Ho-neng-ning ab, und die nächsten Jahre verbrachte er im Gefängnis.

»Du kannst verstehen«, sagte mir Hei-tsi, »daß in einem Land, in dem man nicht einmal seinem besten Freund trauen konnte, die Seele verreckt. Schau sie dir an, wie sie herumgehen. Lauter verreckte Seelen. Da ist nichts mehr zu machen. Die Jungen vielleicht, die nachwachsen – aber bis die soweit sind, ist die Welt untergegangen. Gute Nacht.«

*

So schliefen wir ein. Als ich vom Vogelgezwitscher erwachte, war Hei-tsi verschwunden. Und leider auch mein restliches

Geld. Nur einen blauen Schein von geringem Wert hatte er mir zurückgelassen. Hatte das der kleine, lebendig gebliebene Rest in seiner »verreckten Seele« bewirkt?

Du kannst Dir denken, daß ich erschrak, daß ich mich ärgerte, auch über mich selber, weil ich vor Hei-tsi gestern in der Schänke ja nicht mein Geld, so wenig mir ohnedies verblieben war, verborgen hatte, daß ich ihn und die Welt, sodann die Sonne, den Mond, die Luft, den intriganten Kanzler La-du-tsi verfluchte, aber nachdem ich ein paar Mal vor Wut mit dem Kopf gegen die Wand gerannt war, erkannte ich, daß derartig unwürdiges Benehmen einem Konfuzianer nicht ansteht, auch wenn niemand zuschaut. Ich beruhigte mich und begann, die Lage zu überdenken.

Ich verhehle nicht, daß zu meiner Beruhigung der Umstand mitwirkte, daß die Wand der Da-tscha, gegen die ich mit dem Kopf rannte, schon das vierte Mal nachgab, und ich mit dem Hals in einem Loch der Wand steckte. Draußen saß eine Katze und schaute mich an. Ich glaube nicht, daß ich mich täusche: die Katze mißbilligte meinen sinnlosen Zorn. Sie schüttelte den Kopf, machte einen Buckel, schaute noch einmal zu mir, der ich da lächerlich in der Wand steckte, und schlüpfte dann durch den Zaun.

So zog ich dann vorsichtig meinen Kopf aus dem zackigen Loch, betrachtete den verbliebenen blauen Geldschein, packte mein Bündel und schlüpfte – nicht so elegant wie die Katze – durch den Zaun hinaus auf die Straße.

IV

Ich habe seit einigen Tagen wieder ein Dach über dem Kopf und bin dabei, wie es scheint, weit herumzukommen. Ich habe zu essen und zu trinken, und ich lerne eine Welt kennen, die mir völlig neu ist. Freilich lasse ich dabei nicht mein Ziel aus den Augen, zu erfahren, wann die schwarzen Intrigenwolken des bösartigen Kanzlers La-du-tsi von der Gnadensonne der kaiserlichen Majestät zerstreut worden sind. Dabei kann mir aber nur der Geprüfte Gelehrte Shi-shmi helfen, oder dahin den Weg zeigen, und der kehrt erst in unbestimmter Zeit nach Lip-tsing zurück. Wann? Wenn ich das wüßte. Ich bin jedenfalls nochmals – nach jener Nacht in der Da-tscha mit dem falschen Freund Hei-tsi – zu dem Palast der Gelehrsamkeit hingegangen und habe einen Brief in der Sprache und Schrift der Großnasen für ihn beim Pförtner hinterlassen. Da es, wie ich ja erfahren habe, mehrere Herren Geprüfte Gelehrte Shi-shmi gibt, die in dem Palast der Gelehrsamkeit zu Lip-tsing ihre Weisheit vor den (hoffentlich gelehrigen) Schülern ausbreiten, habe ich außen auf den Brief geschrieben: »An die Morgenröte der Wissenschaft Herrn Erlauchten Geprüften Gelehrten Shi-shmi, und zwar demjenigen unter den Trägern des leuchtenden Namens Shi-shmi, der den unwürdigen Wurm Kao-tai kennt; man bittet, diesen Brief herumzureichen.«

Der verschlafene Pförtner schaute mich mit einem Auge an, während er mit dem anderen weiterschlief, und sagte: »Geht in Ordnung.« Ich habe nicht viel Hoffnung, daß der Brief Herrn Shi-shmi erreicht, aber ich will nichts unversucht lassen.

Es war etwas mehr Leben in der Stadt Lip-tsing an diesem Tag. Die Läden waren geöffnet, die Leute liefen herum. Es herrschte endlich schönes Wetter, aber meine Stimmung war, wie man sich denken kann, düster. Die Wut auf den falschen Hei-tsi war einer tiefen Trauer gewichen. Hatte er nicht selbst von den »verreckten Seelen« gesprochen? Fast ein halbes Jahrhundert hatten der miesgesichtige Ho-neng-ning oder seine Vorgänger und Spießgesellen den Bewohnern der Roten Provinz jede Freude genommen. Freude galt als verdächtig. Lachen war nur gestattet, wenn von oben verordnet. Freude durfte nur über Rote Fahnen, den Fortschritt und das grämliche Gesicht des Ho-neng-ning und den Bart des Ka-Ma geäußert werden. Und sie waren in ihrem Land wie eingesperrt. Sie waren in ihren häßlichen Viereck-Häusern zusammengepfercht und sogen den Dunst der Brutwärme[*] ein. Alles Schöne war verpönt – kann man sie da verurteilen? Können sie da etwas dafür, daß sie nicht wissen, was »schön« ist? Daß sie verkrüppelte Seelen haben, die durch ihre Gesichter nach außen scheinen und selbst ihre Füße zum Stolpern bringen? Mich packte allmählich eine andere Wut: nicht die Wut auf den armen, wenngleich treulosen Hei-tsi, dem ich inzwischen das gestohlene Geld gönne, sondern auf jenen Ho-neng-ning und den teuflischen Ka-ma. Hat es je eine verbrecherische, seelentötende Lehre gegeben wie die des Ka-ma und Le-ning? Ich glaube doch nicht. Zumindest keine, die in die Tat umgesetzt werden konnte. Begreift *ein* Mensch, daß man eine Dummheit wie: »man müsse die Massen zu ihrem Glück zwingen« ernsthaft unter dem Himmel ausbreitet? Unter allem Schwachsinn, den Großnasengeist in seinem Wahn vom Fortschritt je ersonnen, oder besser gesagt ausgedünstet hat, scheint mit die Lehre des Ka-ma und des Le-

---

[*] Anm. des Übersetzers: Die Stelle ist im Original verdorben. Es könnte auch »Bratwürste« heißen.

ning die allerblödeste gewesen zu sein. (Ernstgenommen haben sie übrigens, so wurde mir versichert, eigentlich ohnedies nur solche, die nicht unter ihrer Herrschaft leben mußten. Und wenn man also bedenkt, was dieser Ho-neng-ning und seine Spießgesellen den Os-si angetan haben, so muß man dem zustimmen, was Hei-tsi mehrmals geäußert hat, wenn auf ihn die Rede kam: »der mit Recht verstorbene Ho-neng-ning«.)

*

Ich schlich zwischen den Großnasen umher und gelangte auf einen weiten Platz. Ich war müde und ratlos. Ich setzte mich auf eine niedrige Steinmauer und versuchte nachzudenken, aber es unterbrach mich ein sägendes Geräusch mit feuchtem Einschlag. Ich wendete meinen Kopf und bemerkte, daß hinter mir, gegen die andere Seite der niedrigen Steinmauer, ein alter Mann lehnte. Ein Os-si. Ich erkannte es an seiner Mütze. Zu Zeiten des mißmutigen Ho-neng-ning trugen alle Os-si solche runden, flachen Mützen mit einem leicht vorspringendem Rand nach vorn, vornehmlich in Braun. Sehr unkleidsam, man bekommt einen leicht eingeschränkten Gesichtsausdruck dadurch. Ich weiß nicht, ob diese Mützen Vorschrift waren, oder ob es wieder einmal nur so war, daß es eben nichts anderes zu kaufen gab. Jedenfalls trug dieser Alte, der da zusammengekauert, ja zusammengeknüllt an der Mauer lehnte, so eine Os-si-Mütze, und ich hätte geglaubt, der Alte sei tot, wenn er nicht so fürchterlich geschnarcht hätte.

Ich wurde milde und war ohnedies schon defätistisch. Ich nahm meinen Blau-Schein aus der Tasche, faltete ihn klein zusammen und schob ihn in die Hand des Alten, die ihm im Schnarch-Schlaf seitwärts, halb zur Faust geschlossen, ins Gras geglitten war.

Es war eine Eingebung. Wenn Du mich fragst, warum ich das getan habe? Ich weiß es nicht. An Lohn guter Taten, der von irgendwoher kommt, glaube ich so wenig wie Du, lieber Dji-gu. Am ehesten erkläre ich es mir jetzt im nachhinein selber so, daß ich mir seitdem wohligen Stoff zum Nachdenken darüber verschafft habe, wie der Alte wohl reagiert hat. Ich weiß es nicht, ich habe es nicht beobachtet, denn ich ging sogleich weiter. Ich male mir alles Mögliche aus: vielleicht glaubt er jetzt an gute Feen? Vielleicht erzählt er es in seinen Kreisen herum, und in der Nacht schleichen sich jetzt alle Elenden an jene Stelle und versuchen, im Schlaf die Hand aufzuhalten? Eins allerdings, bin ich sicher, daß er, woher auch die Gabe kommend zu glauben, das Geld sofort versoff.

Und noch eins, erinnere ich mich, flackerte in mir: jetzt, habe ich gedacht, habe ich gar nichts mehr; jetzt, Weltgeist, hast du die völlige Freiheit, mit mir zu machen, was du willst!

Und was machte er mit mir? Belohnte er mich? Gibt es doch einen Lohn guter Taten? Nein, denn dem Esel wäre ich auch begegnet, wenn ich dem Alten das Geld nicht in die Hand gedrückt hätte...

...oder doch nicht? Ich wäre sitzen geblieben, eine Stunde vielleicht, nicht so schnell weggerannt, hätte somit nicht gleich dort den Weg des Esels gekreuzt –

Es sei dem, wie ihm wolle. Der Esel wurde von einem Mädchen in bunten Kleidern geführt und von einem Zwerg, und beiderseits der Flanken des Esels hingen Tafeln aus Pappe, auf denen stand: man möge den Circus Platalea besuchen, der heute in der Stadt sei, und hinten am Schwanz hatte der Esel noch ein kleines Schild befestigt, auf dem stand, daß Helfer für den Circus gesucht würden.

*

Es war keine schöne Arbeit und vor allem keine leichte. Wie gut, daß mich niemand in meiner Zeitheimat gesehen hat – und Du, das weiß ich, wirst es für Dich behalten; abgesehen davon, daß Du es, selbst wenn Du wolltest, nicht schildern könntest, weil Du es Dir nicht ausmalen kannst: der Mandarin Kao-tai, Protektor der Dichtergilde »Neunundzwanzig moosbewachsene Felswände«, mit einer Mistgabel in der Hand. Und das Gegröle der anderen Mistgabel-Herren kannst Du Dir denken, das sie anstimmten, als sie meine Ungeschicklichkeit bemerkten. Wie soll ich auch geschickt sein, wo ich nie in meinem Leben meinen Händen derlei Dinge zugemutet habe; am wenigsten das Hantieren mit der Mistgabel.

Aber ich mußte froh sein, nicht nur, weil ich zu essen bekam und ein (wenngleich fahrbares) Dach über dem Kopf und ein Bett, in das ich mich legen konnte, wenn ich zu Tode erschöpft nach der Vorstellung, und nachdem die Tiere endlich in ihren Käfigen zur Ruhe gekommen waren, die Mistgabel aus der Hand legen konnte, sondern auch wegen des *Lebensspendenden Papiers.*

Ich habe Dir schon berichtet, daß die Großnasen süchtig danach sind, überall, wo sich eine ebene Fläche vorfindet, etwas hinzuschreiben. Das Schreiben ist eine Art Fetisch für sie. Da es nicht genug Wände gibt, um ihrer Schreibwut zu genügen, hat sich aus dem Fetisch des Schreibens eine zwanghafte Besessenheit vom Papier herausgebildet. Das Papier begleitet die Großnasen von der frühesten Stunde ihrer Existenz an. Ich habe das in jenem Hospital erfahren. Wenn ein Großnasen-Säugerling zur Welt kommt, wird er zwar auch gewaschen und so fort, aber als allererstes zieht die Hebamme einen Bogen Papier hervor, auf dem sie das Gewicht und die Größe des Neugeborenen vermerkt, als ob das irgend von Interesse wäre. Dieses und andere Papiere, auf denen nach und nach alles vermerkt ist, was dem Kind und dann dem Erwachsenen widerfährt, begleitet die Großnase sein Leben lang. Ich glaube, sie vermerken jeden einzelnen Fall, wenn sie die Kleider wechseln. Notgedrungen wächst der Haufen an Papier mit der Zeit über die Körpergröße der Großnase an, und wenn sie stirbt, wird natürlich ein Schlußpapier angefertigt, und die Leiche der Großnase wird zwar verbrannt, nicht aber der Papierberg, den sie hinterlassen hat. Seine Papierexistenz setzt sich unter Umständen sogar über seinen Tod hinaus fort, nämlich dann, wenn sich seine Nachkommen über das Erbe streiten. Es scheint also, daß zwar der Berg Papier ohne die Großnase existieren kann, nicht aber die Großnase ohne das sie betreffende Papier.

Das Hauptpapier nennt man »Pa«. Im Pa sind einige Angaben über die den Pa besitzende Großnase enthalten und ein winziges Portrait. Der Pa ist das Um und Auf im Leben der Großnase, ein Pa kann und darf nur von einer hohen Stelle angefertigt werden und gilt als heilig. Ohne Pa bist du in der Großnasenwelt kein Mensch.

Ich hatte, wie zu denken ist, keinen Pa. Also war ich kein Mensch.

Zum Glück sieht man diese Papierdinge beim Circus ausnahmsweise nicht so eng. Als ich den Zwerg, der jenen Esel führte, mit gehöriger Höflichkeit (aber nicht mehr) anredete und sagte, daß ich bereit sei, die Arbeit anzunehmen, auf die auf der Tafel am Eselsschwanz hingewiesen ist, sagte er nur barsch: »Komm mit.« Ich trottete also hinter dem Esel her, zwei, drei Mal kreuz und quer durch die Stadt. Endlich kehrte man zum Circus zurück, und ich wurde einem Circus-Herrn vorgestellt. Er war turmgroß, hatte überhaupt keine Haare am Kopf, dafür aber einen Schnauzbart so groß wie zwei Biber, außerdem einen goldenen Ring im Ohr. Aber er war freundlich.

»So«, sagte er, »du willst bei uns arbeiten. Wie heißt du?«
»Kao-tai.«

»Und wo ist dein *Pa?*«

Ich senkte den Kopf.

»Aha!« sagte er, »so einer bist du.« Er lachte. »Fang nur an. Draußen kriegst du eine Mistgabel. Dann werden wir weitersehen.«

Ich mußte ihm noch angeben, wann und wo ich geboren bin. Lächerliche Fragen. Weißt du, wann du geboren bist? Die Großnasen wissen das bis auf den Tag, ja die Stunde genau. Das ist auch so eine Sache: sie glauben im Ernst, daß die Gestirnkonstellation zu ihrer Geburtsstunde Einfluß auf ihr Schicksal hat. Na, Servus.

Aber was sagte ich dem Biberbart? »Die Stadt, in der ich geboren bin«, sagte ich, »heißt K'ai-feng.« »So«, sagte er, »und wann?« Ich rechnete zurück. Du mußt dazu wissen, daß die Großnasen entsetzlich hohe Jahreszahlen haben. Sie rechnen nicht wie wir nach den Regierungsjahren der Hohen Kaiserlichen Majestät oder nach Sonnenfinsternissen oder Hochwasser-Ereignissen, nein, sie zählen fortlaufend die Jahre beginnend mit dem Jahr, in dem sie ihren Gott an die Wand genagelt haben, ungefähr, und sind jetzt bald bei zweitausend. Ich rechnete also zurück und nannte eine Zahl, die etwa dem entspricht, was die jetzt gültige Jahreszahl abzüglich meines Lebensalters ausmacht.

»So«, sagte der Biberbart, »und wo hast du deinen Pa verloren?«

Es ging mir ein Licht auf, wenngleich sozusagen ein Irrlicht, das die Hohe Behörde täuschen sollte: »Ja!« rief ich, »nicht verloren! Gestohlen. Der Hei-tsi hat ihn mir gestohlen. Zusammen mit meinem Geld.«

»Der Hei-tsi«, sagte der Biberbart, »sehr gut.« Dann war ich entlassen und durfte draußen die Mistgabel ergreifen.

Zwei Tage später hatte ich einen *Pa*. Und wenn man einmal einen Pa hat, so erreichen einen alle anderen heiligen Papiere fast wie von selber. Ich habe schon einen Stapel davon, der ist so dick wie mein Daumen. Aber der Pa mit meinem kleinen Portrait ist doch das schönste von allen.

*

Die Belustigungen der Großnasen, das habe ich Dir schon in jenen Briefen der vergangenen Jahre geschrieben, sind für unsereiner unverständlich, befremdlich und meist laut und enden in dumpfer Erdrückung. Am ähnlichsten unseren Belustigungen ist noch der Circus, wenngleich entscheidende Unterschiede bestehen: die Großnasen lieben, was wir verabscheuen, die Dressur von Tieren. Alles, was auf vier Beinen geht, wird zu Kunststücken mißbraucht, allen voran Pferde, dann aber auch Elefanten, Hunde, Esel, Kamele, selbst wilde Bestien wie Löwen und Tiger – je grausamer, desto lieber ist es ihnen – und sogar wilde Wasserschweine und dergleichen Ungetüme, aber auch groteskerweise Flöhe und Läuse. Bis auf die Flöhe und Läuse, die der betreffende Dompteur naturgemäß in einer Schachtel aufbewahrt, machen alle Tiere in ihren Käfigen (in denen sie außerhalb ihres Auftrittes gesperrt werden) viel Mist, und diesen Mist wegzuschaffen war mehrere Tage lang meine Aufgabe und die von drei anderen Mist-Herren. Einer davon, er heißt I-go, ist mein Zimmergenosse. Aber das Zimmer ist nichts anderes als ein Wagen aus Holz, der mit vielen anderen solchen Wagen hinterm Circus-Zelt steht. I-go ist groß, rothaarig und sehr traurig. Er stammt aus dem Volk der Heimat des mehrfach schon erwähnten Universal-Verbrechers Le-ning, liegt meistens auf seinem Bett und starrt in die Fernblick-Maschine, mit der unseres wie jedes Wagen-Zimmer ausgerüstet ist. Starrt er nicht in die Fernblick-Maschine, singt er Lieder und weint dabei. Auch er hatte, als er zum Circus stieß, erzählte er mir, keinen Pa.

Dies also mein Zimmergenosse I-go. Die anderen zwei

sind nicht bemerkenswert, außer daß der jüngere der beiden eine stark rote Nase hat. Ich bin der kleinste von uns vieren. Ich bin überhaupt meist der kleinste. Die Welt der Großnasen ist mit Riesen bevölkert, selbst die Weiber ragen bis an die Straßenlaternen. Nur ab und zu, nein: eher auffallend häufig trifft man hierzulande auf jene östlichen Inselzwerge, die sie hier Yap-seng nennen, und die mit flachem Gesicht und schwarzen Aktenkoffern herumhuschen und noch mehr dunkle Geschäfte machen als die Hyänen von We-si, sagte man mir. Da ich mit ihren Betrügereien nichts zu tun, sie also nicht zu fürchten habe, freue ich mich immer über ihren Anblick: sie sind meist noch kleiner als ich.

Einmal unterbrach ich I-gos Gesang und fragte, woher das komme, daß die Großnasen so riesig in die Höhe schießen – je jünger, desto mehr. Das komme, hat I-go gesagt, vom künstlichen Mist. Seit hundert Jahren ungefähr verwende man nicht natürlichen Mist zum Düngen der Felder, sondern künstlichen. Seit eben jener Zeit aber beobachte man auch das unnatürliche Wachstum der Großnasen. Es müsse also ein Zusammenhang bestehen. Wahrscheinlich, so I-go, habe inzwischen der künstliche Mist die ganze Erde durchdrungen und seine Miasmen steigen von unten in die Leiber empor und heben sie an.

»Warum bin ich dann so klein?« fragte ich.

»Wahrscheinlich hängt das mit deinen kleinen Füßen zusammen. Hast du noch nicht beobachtet, daß alle Großnasen auch große Füße haben? Schau meine an. Deine Füße sind zu klein, um die Miasmen des künstlichen Mistes eindringen zu lassen.«

Ich zweifle an I-gos Theorie. Aber wenn sie stimmt, dann steigen die künstlichen Mist-Miasmen wahrscheinlich auch bis in die Hirne der Großnasen und verderben dort die Fähigkeit, die entscheidenden Zusammenhänge zu erkennen.

Vorsichtshalber äußerte ich dies nicht.

I-go erzählte mir von seiner Heimat. Er nennt sie »das Mütterchen« oder »das Land der schwarzen Erde«. Die Leute dort, sagt er, ernähren sich hauptsächlich von Schnaps. Die Dichter dort – und die schöne Sprache der Leute der schwarzen Erde bringe viele Dichter hervor – seien so ungeheuer traurig, so tief in den Kern ihrer weichen, großen Seele hinein trostlos, daß ausnahmslos alle, nachdem sie ihre bedeutenden Werke geschrieben haben, wahnsinnig werden und sich nicht ungern selber ermorden. Er zeigte mir ein Büchlein. Es war in mir nicht lesbaren Charakteren gedruckt. Es sei vor vielen Jahren schon verfaßt worden, und zwar vom Lieblingsdichter I-gos: Go-go hieß der Dichter, und er sei schwermütig gewesen und in religiösem Wahn umgekommen. Das Buch handelt, so I-go (typisch, dachte ich), von toten Seelen.

Aber die Dichter, sagte I-go, seien bei der Staatsmacht nie beliebt gewesen, jedenfalls nicht die guten, die schlechten schon (wie überall, dachte ich mir, wie bei uns – kennst Du die hanebüchenen Verse des Kanzlers La-du-tsi?). Und so sei es gekommen, daß diejenigen Dichter, die nicht von allein wahnsinnig geworden seien, von Staats wegen in Irrenanstalten oder sonst gefänglich verwahrt wurden, bis auch ihnen der Geist ausging.

Ein merkwürdiges Land, dieses »Mütterchen von der schwarzen Erde«.

Dort, sagte mir I-go, ist auch der Le-ning zu Hause gewesen, dort, sagte I-go, sei bei einigen Leuten die Miß-Lehre des Ka-ma auf den fruchtbarsten Boden gefallen. Das große, ja riesig große Reich, das sich auf der anderen Seite bis ans Reich der Mitte erstrecke, sei vor Zeiten von Kaisern regiert worden, die auch meistenteils Tyrannen waren. Der letzte wurde von der Platte geputzt, und eben jener Le-ning schwang sich zum Tyrannen auf. Er sei, sagte I-go, ein scheinheilig lächelnder Tyrann gewesen. Niemand, so I-go, und ich glaube es ihm gern, hat an die Volksbeglückungslehre des Ka-ma wirklich geglaubt, selbst Le-ning nicht. Er habe nur schlau die Volksbeglückungslehre dazu benutzt, sich an der Macht zu halten, was ihm auch einige Jahre gelungen sei, bis ihm ein anderer Volksbeglücker das Lebenslicht ausgeblasen habe, und dem wieder ein anderer und so fort, wie es eben in Tyranneien geht.

Aber vor einiger Zeit habe der letzte aus der Reihe der Volksbeglücker erkannt, daß sich das Volk systematisch zu Tode säuft, wenn nicht mit der Volksbeglückung aufgehört wird, und so schaffte man sie ab –

»Viel besser geworden ist es aber nicht, daheim«, sagte I-go und pfiff ein trauriges Lied.

Er lud mich ein, ihn im Land der schwarzen Erde zu besuchen, wenn er wieder daheim sei.

Ich werde es mir überlegen.

*

Der Circus gibt jeden Abend eine Vorstellung. Für unsere Begriffe sind die Akrobaten eher kläglich. Viele arbeiten mit bloßer Kraft. Es ist alles sehr wenig elegant, und besonders abstoßend ist, wie ich schon gesagt habe, der Mißbrauch der Tiere. Zwischendurch treten auch komische Figuren auf, die einige von den beliebten Witzen machen. Eine Nummer besteht darin, daß ein Mensch von furchterregendem Äußeren auf ein nahezu unbekleidetes Mädchen, das an eine Scheibe gebunden ist, mit Messern wirft. Er hat es bisher noch nie getroffen.

Ich habe, wie ich an jenem Tag den Zwerg mit dem Esel anredete, nicht geahnt, daß ich damit letzten Endes mein Leben aufs Spiel setze. Um ein Haar, lieber Dji-gu, wäre ich nie mehr in meine Zeitheimat zurückgekehrt, und da Du dann zwangsläufig von diesen Blättern keine Kenntnis erlangt hättest, wäre ich für Dich in dem schwarzen Zeitstrudel der Zukunft verschwunden geblieben.

Wie kam das aber? und was hat mich gerettet?

Der Circus wandert von Ort zu Ort. Mehrere Tage blieben wir in Lip-tsing, denn das ist eine große Stadt, und wir erwarteten deshalb viele Zuschauer. Als nach einiger Zeit nur noch wenige kamen und der Messerwerfer (Weng-teng heißt er) seine Messer vor fast leeren Bänken warf, verfügte der Biberbart, daß das Zelt abgebrochen werde und daß wir mit Sack und Pack und den Wagen und allem, auch den fahrbaren Bestien-Käfigen natürlich, weiterzögen. Wir gaben dann in mehreren kleineren Städten, auch einigen mittelgroßen, eine oder mehrere Vorstellungen, je nachdem, in kleineren nur eine, in größeren mehrere. Wir schoben uns nach Norden, und nach etwa einem Mond erreichten wir die große, ja die sehr große Stadt »Haste-mal-ne-Mark-für-mich«. (Die Stadt heißt so, sagte mir I-go, weil du nicht auf die Straße gehen kannst, ohne daß dich einer in meist rüder Weise anbettelt.) Hier, so befahl Biberbart, würden wir länger bleiben.

So wurde die Stadt »Haste-mal-ne-Mark-für-mich« beinah zum Ort meines endgültigen Schicksals.

Ich bemerkte schon bald in den Tagen nach der Abreise aus Lip-tsing, daß die Lieder des I-go fröhlicher wurden. Ich maß dem zunächst keine Bedeutung bei. Ich muß vorausschicken: jenes Mädchen, das damals den Zwerg und den Esel begleitete, ist eben auch jenes, das so gut wie unbekleidet jeden Abend auf die Scheibe gebunden wird, und nach der Weng-teng mit seinen Messern wirft. Das Mädchen heißt Yu-li und ist stark schön, könnte auch mir gefallen. Sie hat für eine Großnäsin eine vergleichsweise kleine Nase und nicht sehr große Füße. Aber ich war weit davon entfernt, mir irgendwelche Gedanken der Hoffnung zu machen. Abgesehen davon, daß ich mir den Widerwillen der jungen Dame gegen einen alten Wurzelwicht wie mich, der die Mistgabel schwingt, ausrechnen konnte, hatte (und habe) ich andere Sorgen. Mir stand nicht der Sinn danach, mir meine Situation durch Liebesabenteuer noch schwieriger zu machen, als sie ohnedies war.

Yu-li war die Gefährtin – vielleicht die Ehefrau oder die Geliebte? so genau weiß man das hier nie – des Messerwerfers Weng-teng. Schon lange, so kam es später heraus, hatte der traurige I-go ein Auge auf das Mädchen geworfen, zunächst vergeblich, erst um die Zeit, als wir in die Stadt »Haste-mal-ne-Mark-für-mich« kamen, warf Yu-li ihrerseits die Augen zurück zu I-go, und immer, wenn Weng-teng im leeren Zelt Messerwerfen übte oder in die Stadt ging, um, wie I-go es nennt, »den Hals innen zu netzen« oder sonst aus einem Grund abwesend war, schlich I-go in den Wohnwagen des Messerwerfers, wo Yu-li auf ihn wartete, ohne Zweifel, um sogleich von ihm beglückt zu werden.

Es kam I-go und Yu-li zugute, daß der Messerwerfer sehr häufig in die Stadt ging, um »den Hals innen zu netzen« oder dergleichen, außerdem, daß die »halsnetzenden Getränke« auf ihn nicht selten eine offensichtlich eher ermüdende Wirkung ausübten, denn oft kam er aus der Stadt in stark kringelnder Gehweise nach Hause und fand nur mit Mühe seinen Wohnwagen. I-go konnte unter solchen Umständen mit Leichtigkeit entwischen, zumal der Messerwerfer seine Heimkunft meist durch weithin schallende Lieder ankündigte.

Ob irgend jemand, vielleicht ein von Yu-li Abgewiesener und in Mißgunst geratener oder aus anderem Grund dem Messerwerfer feindlich (oder freundlich?) Gesinnter einen wahrscheinlich ungenauen Hinweis gemacht, oder ob Weng-teng von sich aus Verdacht gefaßt hat, ist mir nicht bekannt, jedenfalls kam er eines Tages hinter die Sache, ging nur zum Schein in die Stadt, nahm keine »halsnetzenden Getränke« zu sich, sondern kehrte ohne Absingen von Liedern überraschend von einer anderen Seite zum Circus-Lager zurück.

Aber ich sah ihn.

»I-go ist mein Freund«, dachte ich, »der Messerwerfer nicht.« Ich wieselte also, wobei mir meine kleine Gestalt zugute kam, zum Wohnwagen des Messerwerfers, klopfte fest und zischte: »Hütet euch vor starkem Ungemach.« Yu-li schrie: »Kommt er?« »Ja«, zischte ich. Da stürzte I-go aus der Tür, gerade noch rechtzeitig, bevor der Messerwerfer ums Eck kam. I-go, nur mangelhaft bekleidet, versteckte sich in einem großen Heuhaufen, der seitlich neben den Wohnwagen aufgeschichtet war, ich witschte schnell zurück in unseren Wohnwagen. Ich hörte noch, wie das Luder den Heimkommenden angurrte: »Ach, Liebling, du bist schon wieder da, wie schön!« und ihn sogleich umgarnen wollte, da sie ohnedies nackt war.

Aber der Weng-teng schleuderte sie beiseite, schrie: »Wo ist der Knilch?!« und raste zwischen den Wohnwagen herum. Es ging dann alles sehr rasch und auch sehr laut vor sich.

Die ganzen Circusleute kamen aus ihren Wagen (die Sache ereignete sich spät, lang nach der Vorstellung), schlaftrunken, aber neugierig. Lichter wurden angezündet, die Tiere begannen unruhig zu werden, die Löwen und Tiger brüllten. Der Biberbart (in einem seltsamerweise rosaroten Nachthemd) kam aus seinem Wohnwagen und krächzte: »Sind denn jetzt alle verrückt geworden?« und: »Ruhe! Ich will schlafen!«

Aber Weng-teng schrie nun seinerseits, schüttelte die Fäuste und tobte hin und her. Yu-li heulte, I-go zitterte im Heu – wie sich später herausstellte, hatte der Messerwerfer I-go nicht gesehen, wohl aber mich, der ich klein und gebückt – wohlweislich in irreführende Richtung – zwischen den Tierkäfigen verschwand.

Ob des Messerwerfers Irrtum schon vom Angeber der

Sache herrührte, der vielleicht nicht genau Bescheid wußte und nur, wie es ja häufig geschieht, ungenaue Verdächtigungen in die Luft geblasen hatte, oder ob der Verdacht Wengtengs von vornherein in die falsche Richtung ging, läßt sich für mich nicht mehr feststellen. Jedenfalls verdächtigte Weng-teng weder I-go noch mich, sondern den einen der Zwerge (die Großnasen nennen sie: Li-li-pung), jenen, der damals mit dem Esel gegangen war, einen alten Zwerg, der »der Kleine Ho« genannt wurde. Der Verdacht des Messerwerfers verdichtete sich natürlich dadurch, daß er mich, fast so klein wie Klein-Ho und gebückt davonhuschen sah. Weng-teng brüllte also: »Wo ist der Schurke, wo ist der schweineartige Li-li-pung, ich bringe ihn um! – man reiche mir eine Zitronenpresse, ich zerquetsche ihn!«

Der nichtsahnende Klein-Ho war vor seinen Wohnwagen getreten, neugierig wie alle, und als ihn Weng-teng endlich bemerkte (blind vor Wut, war er ein paar Mal an ihm vorbeigerannt), zerquetschte er ihn nicht, warf aber eines seiner Messer nach ihm, das dem Zwerg das linke Ohr durchbohrte und ihn an den Wohnwagen nagelte.

Klein-Ho wurde streifenweise froschgrün im Gesicht und heulte, wobei er, das habe ich nie in meinem Leben gehört, gleichzeitig stark gurgelnde Laute von sich gab. Das zweite Messer, das für das rechte Ohr bestimmt war, verfehlte sein Ziel und blieb knapp neben des Zwergen Kopf stecken. Dann überwältigten einige starke Zeltaufsteller den Wengteng, und dann kamen auch schon die Stadt-Schergen und ein Arzt.

*

Auf die Nummer mit dem Messerwerfer mußte man von da an verzichten, denn er saß nun im Gefängnis. Der Richter glaubte ihm nicht, daß er dem Klein-Ho nicht nach dem Leben getrachtet, sondern wirklich nur auf das Ohr gezielt habe. Weng-teng erbot sich, im Gerichtssaal seine Kunst zu demonstrieren, jedes auch noch so kleine Ziel unfehlbar zu treffen, um darzulegen, daß seine Verteidigung nicht absurd sei. Der Richter war einverstanden, verbat sich aber, *sein* Ohr als Ziel zu verwenden, ließ vielmehr nur einen Kreis von Ohrgröße an die Wand malen. Weng-teng, wohl in der Aufregung, verfehlte das Ziel, der Richter sagte: »Na, also –«, und Weng-teng wurde wegen versuchten Mordes verurteilt. Yu-li verschwand ohne Abschied schon am Tag nach der Tat gleichzeitig mit I-go, der – was nachzutragen ist – in dem allgemeinen Durcheinander aus dem Heuhaufen unbeschadet entkommen und sich unter die Neugierigen mischen konnte.

Aber auch Klein-Ho fiel für die folgenden Vorstellungen aus. Die Verletzung am Ohr war zwar nicht schlimm, aber der Zwerg hatte ein Hinabstürzen der Lebensfäden erlitten, zitterte in einem fort und konnte sein Wasser nicht mehr halten. Er mußte in ein Spital gebracht werden. Auch ihn sahen wir nicht wieder.

Nun war aber Klein-Ho – außer daß er in den Pausen ordinäre Späße riß – das Mitglied einer aus fünf Herren und zwei Damen bestehenden Li-li-pung-Hüpf-Truppe. Der Biberbart tobte und drohte, sich aufzuhängen und vorher den Circus anzuzünden (was niemand ernst nahm, weder das eine noch das andere), beruhigte sich erst wieder, als eine gewisse Ti-nang, eine Kunstreiterin, auf mich zeigte und sagte: »Nimm doch den, der ist auch nicht viel größer.«

So bin ich also Ersatz-Zwerg geworden. Ordinäre Späße reißen muß ich zwar nicht (das übernahm statt Klein-Ho ein anderer der Gruppe), muß aber, was ich im übrigen rasch lernte, in stark-farbigen Kleidern durch die Manege hüpfen. Was erlebt man nicht alles in der Welt der Großnasen. Aber als Ersatz-Li-li-pung verdiene ich jetzt immerhin mehr Geld als mit der Mistgabel.

Aber das Erschreckendste bei all dem will ich Dir doch auch nicht verschweigen: nicht das Geschrei, nicht das Toben, nicht die Angst blieb mir am stärksten im Gedächtnis haften, sondern die Augen des am Ohr an die Wand gehefteten Zwerges: sie waren starr wie Marmor, und was sonst am Auge weiß ist, war schwarz geworden.

V

Der Sommer wird heiß. Es regnet nicht mehr. Wenigstens das. Wir sind nach Norden gezogen, sind immer noch in den Roten Provinzen, aber das Land hier ist flach und waldig und grenzt an ein ziemlich kaltes Meer. Die Gegend ist wenig bewohnt, und dementsprechend schlecht waren seither unsere Vorstellungen besucht. Der Messerwerfer konnte durch einen, der mit dem Bauch reden kann, ersetzt werden, und der andere Zwerg macht fast noch ordinärere Späße als Klein-Ho, und ich hüpfe fleißig mit den Li-li-pung mit, aber dennoch wurde der Biberbart zunehmend mißmutig, schimpfte zuletzt nur noch den ganzen Tag, bis der große Knall kam. Davon später. Erst muß ich Dir die Nachricht von einem anderen großen Knall geben, der sich – erschrick nicht – in unserer Heimat, im Reich der Mitte zugetragen hat.

(Im übrigen, dies vorweg, diese Zeilen schreibe ich wieder in Lip-tsing nieder, wo ich mich seit einem halben Mond neuerlich aufhalte.)

Die Welt, die die Großnasen als rund oder vielmehr kugelförmig betrachten, ist, wenn man so sagen kann, geschrumpft. Nicht in Wirklichkeit, natürlich, aber in den Augen der Großnasen. Nachrichten uninteressantester Gegenstände jagen sie ständig um die Welt, und das geschieht mittels der schon erwähnten Fernblickmaschine, aus der das meist seifige Antlitz eines Tugendboldes (er nennt sich U-li-wi-ki) herausblickt und mit vollem Ernst größtenteils blödsinnige Neuigkeiten verkündet. Oder aber mittels der schon erwähnten Papierblätter, die ähnlich unseren Wandplakaten gestaltet sind, allerdings nicht angeklebt, sondern lose, gefaltet und bebildert werden, und wenn man sie liest, bekommt man schwarze Finger.

Alle wissen also alles von allen und überall. Auch vom (heutigen) Reich der Mitte.
Dies voraus.

Vor einigen Jahren – ich meine: aus der Sicht unserer Zeitheimat vor einigen Jahren, und Du erinnerst Dich vielleicht – veranstaltete ich, noch in der Gnade kaiserlicher Majestäts-Sonne und im Besitz meines Vermögens, zu Ehren der Ernennung des greisen Poeten »Blüte der gelben Taglilie«, dem Mitglied der von mir präsidierten Dichtergilde, des ehrwürdigen Mannes, den ich, wie Du weißt, besonders schätze, ein Gastmahl, zu dessen Abschluß ich, weil ich wußte, daß das den Ehrwürdigen ergötzt, ein Feuerwerk abbrennen ließ.

Nach dem Feuerwerk ergingen wir uns im Garten, und ich bemerkte, wie der erst vor kurzem ernannte, (leider) in die Dichtergilde aufgenommene Meister, der den Akademienamen »Tausend Schmetterlinge lassen sich auf dem Oleanderbaum nieder« gewählt hat (was allein schon auf seine Blödheit schließen läßt), mit dem Meister des Feuerwerks sprach, der damit beschäftigt war, seine Gerätschaften zusammenzuräumen.

»Man könnte doch«, hörte ich den Dichter fragen, »statt feuriger Kugeln, sagen wir, spitze Steine in die Luft jagen?«

»Sicher«, sagte der Feuerwerksmeister, »halten Sie das für schöner?«

»Nein«, sagte der Dichter, »aber man könnte es.«

»Sicher könnte man es.«

»Warum tut man es nicht?«

»Warum soll man alles tun, was man könnte?«

»Man könnte die spitzen Steine gegen die Feinde richten.«

Der Feuerwerksmeister dachte eine Weile nach und gab dann die bemerkenswerte Antwort: »Richten nicht Pfeile und Speere schon genug Unheil an?«

Die Großnasen, lieber Freund Dji-gu, tun alles, was sie tun können. Auch ihnen ist die Kraft jenes Pulvers nicht verborgen geblieben. Ein Mönch, ausgerechnet, hat sie vor Jahrhunderten entdeckt, er hieß *Hei,* und deswegen heißt dieser Scherzartikel hier Schwarz-Pulver.

Aber die Großnasen haben den Scherzartikel von Anfang an nicht als Grundlage für erfreuliche Feuerwerke benutzt, sondern sofort, um spitze Steine oder Eisenkugeln oder sonst unfreundliche Dinge aufeinander zu schleudern. Es blieb natürlich auch nicht aus, daß das Pulver und die – in hohem Ansehen stehenden – Gerätschaften zum Verschießen der todbringenden Dinge immer mehr verfeinert und verbessert (oder eigentlich: verschlechtert) wurden, und daß es zuletzt solche Geräte gab, die ununterbrochen schleuderten und Menschen und Tiere und Städte und ganze Landschaften in den feurigen Schlamm walzten. Schon vor – von hier aus gerechnet – gut dreihundert Jahren gab es einen Krieg (das erzählte mir alles seinerzeit Herr Shi-shmi), der dreißig Jahre dauerte und in dem es den verfeindeten Parteien um ein Haar gelungen ist, sich gegenseitig auszurotten. Aber das war alles noch nichts gegen zwei Kriege, die im Abstand von wenigen Jahren diese unselige Welt erschütterten. Einige altgewordene Krüppel laufen immer noch herum.

»Was war der Grund für diese Kriege?« fragte ich Herrn Shi-shmi.

»Das kann man nur schwer beantworten«, sagte er, »und wenn man doch versuchte, es mit einem Satz zu tun, dann den: aus keinem anderen Grund, als weil die verfeindeten Parteien eben jene Waffen hatten.«

Wenn sie einander totschlagen *können,* die Großnasen, so tun sie es.

Nicht genug damit. Gegen Ende des letzten der genannten Kriege erfanden – und zwar groteskerweise die Gegner gemeinsam – ein Schwarz-Pulver ganz neuer Art, das von unvorstellbarer Kraft ist. Stelle Dir einen unsichtbaren Drachen vor, der einen Berg von der Größe derer in Tu-fan in die

Höhe hebt und mit grenzenloser Bosheit von Himmelshöhe auf die Erde herniederdonnern läßt. Die unausweichliche Zermalmung kannst Du Dir vorstellen, nicht aber, daß jener Berg aus sozusagen steinernem Feuer ist...

So ein diabolischer Feuerberg, der sich aus einem eisernen Ei von bescheidener Größe entwickelte, wurde auf zwei Städte der östlichen Insel-Zwerge herniedergelassen. (Was verirrte menschliche Erfinderkraft nicht alles ausbrütet.) Die Zahl der Menschen, die dabei umkamen, war nicht zu zählen. Viele von ihnen *verdunsteten* –

Wiederum nicht genug damit. Allein aus der Tatsache heraus, daß man es *konnte*, entwickelten großnäsige Teufel werfbare Feuerberge, gegen die der erwähnte von den östlichen Inseln nur wie der Stein in einer lächerlichen Schleuder eines Knaben anzusehen ist. Tausende solcher Feuerberge lagern überall, man weiß nicht wo, und es ist wohl nur ein unverdientes Glück der Großnasen, daß noch keiner davon losgegangen ist.

Ist denn, wirst Du fragen, die ferne Menschheit, insbesondere die Großnasenheit, völlig von Sinnen gekommen? Denkt denn keiner von denen, die die Feuerberge erfinden, weiter als seine Nase reicht?

Nein. Keiner denkt weiter, und das ist auf eins der bedeutendsten Übel der großnäsischen Gelehrsamkeit zurückzuführen, das ich beobachten mußte.

Denke Dir einen Arzt, der nur die Nase heilt. Wenn es Dir schlecht geht, sagt er, nachdem er Dich untersucht hat: »Ehrwürdiger Dji-gu, Ihre bewundernswerte, alle Sterne des Himmels sowie die Frühlingsdüfte in Schönheit überstrahlende Nase ist völlig in Ordnung. Auf Wiedersehen.« Und der nächste Arzt befaßt sich nur mit den Zehen. Und der nächste mit dem Bauchnabel. Und wenn Du endlich den findest, der für Dein Leiden – sagen wir: den Magen – zuständig ist, verabreicht er Dir eine Medizin, die Deine Augen platzen läßt. Wenn Du Dich darüber beschwerst, sagt der Magenarzt: »Bedaure. Das interessiert mich nicht. Ich habe den Magen zu heilen. Das habe ich getan.« Und exakt so ist es mit der großnäsischen Wissenschaft.

Als ob sie mit eben jenem schwarzen Pulver auseinandergesprengt worden sei, so fliegen die Trümmer der Wissenschaften durch die Luft. Ich habe da ein spaßhaftes Wort gehört: es sei inzwischen so, daß sich die Großnasenwelt, was das Wissen (und auch die Weisheit) anbetrifft, in zwei Teile teilt; der eine Teil weiß von *allem nichts,* und der andere von *nichts alles.* Die letzteren nennt man Experten.

Und exakt so kam es dazu, daß sinnlose Gelehrte solche Feuerberge erfanden... und das übrige interessiert sie nicht. Und selbstverständlich ist es unmöglich, eine einmal erfolgte Erfindung rückgängig zu machen, so wenig wie Du ein unbedachtes Wort in den Mund zurückholen kannst.

Und jetzt das – für Dich und mich – Erschreckendste: unsere fernen Nachkommen, die heutigen Bewohner des Reiches der Mitte, sind auch nicht besser. Offenbar angesteckt vom explodierenden Geist der Großnasen erfinden sie auch solche Feuerberge, und unlängst stand in eben jenen auf der Straße käuflichen gefalteten Plakaten (*Tsei-tung* nennt man sie), daß die Machthaber im Reich der Mitte einen solchen Feuerberg zwar nicht anderen auf den Kopf geworfen, aber gezündet haben; wohl um zu sehen und zu hören, wie es kracht und blitzt.

Hättest Du unseren Nachkommen so eine Blödheit zugetraut? Es ist dort auch noch etwas anderes vorgefallen – etwas, wofür »haarsträubend« nicht im entferntesten der angemessene Ausdruck ist, etwas, was ich nicht hinzuschreiben wage, allenfalls erzähle ich es Dir, wenn ich dereinst zurückgekehrt bin.

Hatte ich früher ab und zu in meinem Kopf den Plan hin- und hergewendet, es irgendwie zu bewerkstelligen, ins heutige Reich der Mitte zu fahren, so werde ich mich jetzt, wo ich das im Tsei-tung gelesen habe, davor hüten.

*

Es war abenteuerlich genug, wieder nach Lip-tsing zu kommen, und ich fürchte, es wird noch abenteuerlicher werden, von hier wieder wegzugelangen – von Ya-na nämlich. Sie darf um alles in der Welt nicht erfahren, was ich hier schreibe. Lesen kann sie es natürlich ohnedies nicht, denn sie hat keine Ahnung von unseren Schriftzeichen, aber sie ist ständig in überwältigender Fürsorge um mich her und hört nicht auf zu fragen: Was schreibst du da? Wie lautet das? Lies es mir in meiner Sprache vor! und so fort. Sie ist ein guter Mensch, aber langsam beginnt mich ihre Güte zu ersticken. Sie ist eine Os-si und heißt, wie gesagt, Ya-na. Alle Damen in Os-si-Roter-Provinz heißen Ya-na. Und sie hat zwei, wie sie sagt, entzückende Kinder, die meine Lebensfäden fast zum Zerreißen bringen.

*

Der Circus »Platalea« gab in einer eher kleinen Stadt im erwähnten Norden der Roten Provinz seine letzte Vorstellung – ohne daß wir das kommende Schicksal ahnten. Es fiel, scheint's, auch keinem außer mir auf, daß eines Vormittags zwei Herren kamen und den Biber-Bart weckten. Er öffnete ihnen seinen Wohnwagen schlaftrunken in seinem rosaroten Nachthemd, und als sie kurz danach wieder gingen, schaute ihnen der Biber-Bart von der Tür aus lang nach – immer noch im rosaroten Nachthemd, aber im Gesicht von der Farbe sehr hellen Sandes. Auch – das behalte ich als Sonderbarkeit im Gedächtnis – seine bloßen Füße, die unter dem Nachthemd hervorschauten, waren bleicher als vorher.

Ich ging zu ihm hin und schaute ihm ins Gesicht.

Er grüßte nicht, bot keinen »guten Morgen«, sagte nur mit belegter Stimme: »Das war's.«

»Was war es, ehrfurchtgebietender Herr des weltberühmten Circus ›Platalea‹?«

»Von wegen *ehrfurchtgebietend.* Die Tiere werden morgen abgeholt. Das Zelt noch heute nachmittag. Die Wagen und alles gehört längst nicht mehr mir. Den restlichen Krempel verbrennt ihr am besten. Und wenn du jetzt einen Knall hörst, dann war's das.«

Er ging in seinen Wohnwagen, sperrte zu, und tatsächlich knallte es danach so fürchterlich in dem engen Raum, daß ich einen Augenblick lang meinte, der Wagen berste.

Alles lief herbei, man brach den Wagen auf und trug den Biber-Bart heraus. Sein rosarotes Nachthemd war blutüberströmt. Er hatte sich mit einem handlichen Schwarz-Pulver-Gerät selber den Kopf weggeschossen.

Ich duckte mich unter der schreienden Menge weg, rannte in meinen Wohnwagen, packte in Hast meine Sachen zusammen (sie waren inzwischen doch auf den Inhalt eines weiteren Koffers außer jener Reisetasche angewachsen), nahm mein erspartes Geld aus seinem Versteck und machte mich davon. Unschwer fand ich die Höhle des selbstfahrenden Eisenschlauches. Ich kaufte mir – so versiert bin ich natürlich längst – einen Schein, der zur Fahrt in dem Schlauch berechtigt, stieg ein und ließ mich nach Lip-tsing fahren. In der Stadt »Haste-mal-ne-Mark-für-mich«, auch »Stadt der vierzigtausend Kneipen« genannt, mußte ich aus dem einen selbstfahrenden Eisenschlauch in einen anderen wechseln.

Und wen, meinst Du, traf ich in diesem? Du ahnst es nicht: den falschen Freund Hei-tsi. Der Eisenschlauch führt auch – es ist kaum glaublich – eine fahrbare Schänke mit sich, und eben dort und natürlich nirgendwo anders saß in stark lärmender Fröhlichkeit Hei-tsi, hatte schon unzählige Glasgefäße mit belebender Flüssigkeit getrunken und unterhielt nicht nur alle Anwesenden, sondern hielt sie auch frei. Er sang weithin tönende Lieder, unter anderen mehrfach ein Lied, das davon handelte, daß ein so schöner Tag wie heute eigentlich nie vergehen dürfe.

Alle sangen mit, und Hei-tsi befahl dem Kellner immer wieder, neue belebende Getränke herbeizubringen, und wedelte mit großen, braunen und orangefarbenen Geldscheinen in der Luft herum. Als er meiner ansichtig wurde, erhob er ein so freudiges Gebrüll, daß der ganze Eisenschlauch zitterte. Er schrie, daß er seinen ältesten Freund endlich wiedergefunden habe, umarmte mich und sagte, daß wir nie mehr wieder auseinandergehen wollten. Mit Mühe konnte ich verhindern, daß er mich küßte. Davon, daß er mir mein Geld gestohlen hatte, sagte er nichts.

»Bist du Millionär geworden?« fragte ich.

Er brüllte vor Lachen. »Jawohl«, sagte er, »plötzlich und gestern. Ich habe den Schönheitspreis gewonnen.«

»Ach –?« sagte ich.

»Ja«, sagte Hei-tsi, »für Pudelhunde.«

Alle lachten wiederum dröhnend.

»Und wenn«, gröhlte Hei-tsi, »der Besitzer von dem gewinnbringenden Pudelhund nicht so blöd gewesen wäre, mit mir um die Wette Karten zu spielen, dann hätte *er* noch den Preis.«

Es blieb mir nicht viel anderes übrig, als gute Miene zum bösen Spiel zu machen, trank ein kleines Glas belebender Flüssigkeit und vertraute darauf, daß die ganze Gesellschaft sehr bald vor genossener Belebung nicht mehr wissen werde, wo oben und unten ist.

Ich täuschte mich nicht. Inzwischen war aber ein Herr in die fahrbare Schänke getreten, den jeder, selbst der unbedarfteste, als nicht an der Fröhlichkeit Hei-tsis und seiner Kumpanen interessiert erkannt hätte. Dennoch schrie ihm Hei-tsi zu, er solle sofort mitsaufen, aber der Herr setzte ein feindseliges Gesicht auf und beschwerte sich beim Kellner über den Lärm und erklärte, daß er hier in Ruhe sitzen und seine Gedanken sammeln wolle. Das brachte Hei-tsi so auf, daß er einen violetten Kopf bekam. Der Kellner erwies sich als machtlos, und der angenehme Herr hätte womöglich Prügel bezogen, wenn ich nicht dem Hei-tsi erklärt hätte, der Herr sei ein Freund von mir und habe eine wichtige Angelegenheit mit mir zu besprechen. So konnte ich den Herrn in eine etwas entfernte Ecke in Sicherheit bringen, und bald danach war die Gesellschaft Hei-tsis so betrunken, wie ich erwartet hatte. Die meisten schliefen ein.

So lernte ich den Herrn Geprüften Gelehrten Nong-min kennen.

*

Herr Geprüfter Gelehrter und Wissensvermittler Nong-min ließ sich vom fahrbaren Eisenschlauch noch weiter hinaus tragen, denn er vermittelte sein Wissen nicht in Lip-tsing, sondern in einer etwas weiter südlich gelegenen Stadt namens Ye-na, in der sich auch eine sogenannte Allumfassende Weisheitsvermittlung befindet. Ich fragte, nachdem ich so mit Herrn Nong-min ins Gespräch gekommen war und wir uns in eine der Kammern des Eisenschlauches zurückgezogen hatten, ob Herr Nong-min meinen Freund, den Geprüften Gelehrten Shi-shmi kenne. Nein, sagte Herr Nong-min sehr höflich, er selber lehre die Weisheit der Rechtswissenschaft in Ye-na, kenne daher die Weisheitslehrer der historischen Wissenschaft, zu denen Herr Shi-shmi gehört, kaum, aber er könne sich erkundigen; das sei ein leichtes für ihn; er mache das gern, zumal ich ihn durch meine Geistesgegenwart förmlich gerettet habe; es werde ein paar Tage dauern, bis er mir gewisse Nachricht über den Verbleib von Herrn

Shi-shmi geben könne, und er fragte, wo mich seine Nachricht erreichen könne.

Das war natürlich schwierig. Aber er wußte eine Lösung: er habe, sagte er, eine Nichte in Lip-tsing, dorthin werde er die Nachricht in etwa acht Tagen richten, und er schrieb mir auf einen Zettel, wie seine Nichte hieß und wie ich sie finden könne.

Du ahnst schon etwas? Du ahnst das Richtige.

Wir verabschiedeten uns herzlich. Er blieb im Eisenschlauch. Ich entstieg. Acht Tage wohnte ich in einem Hongtel, das ist eine der großen (und leider teuren) Gäste-Herbergen, in denen man wohnen kann, auch wenn man den Herrn des Hauses nicht kennt. Nach acht Tagen war mein erspartes Geld nahezu aufgebraucht. (Ich hatte nur noch vier Blau-Scheine, das ist nicht sehr viel. Diesmal behielt ich sie, obwohl ich dutzende Bettler in den Parks und auf den Plätzen herumlungern sah. Ich vermied es, das Schicksal nochmals um ein Wunder zu bemühen.) Ich hoffte, daß ich nun Herrn Shi-shmi finden werde, der mir weiterhilft, und ich suchte also jene Nichte auf. Sie wohnt in einem überaus scheußlichen Haus zusammen mit unzähligen anderen Leuten, und es roch schon im Stiegenhaus nach Kohl.

Ich betätigte die wundersame Knopf-Glockeneinrichtung, die sich bei den Großnasen an allen, selbst den einfachsten Türen befindet. Nach kurzer Zeit öffnete Ya-na.

Was soll ich sagen –

Ya-na ist fast zwei Kopf größer als ich, hat unmäßig große Füße und das, worauf sie in der Regel sitzt, ist weithin ausgreifend. Aber sie ist jung, hat eine helle Haut und orangefarbene Haare und ist überaus herzlich, ja: *zu* herzlich. Im Vertrauen gesagt – aber davon später.

(Eben war sie hier, rieb ihre ebenfalls stark auswölbenden Brüste an meiner Schulter und gurrte: »Du schreibst schon wieder so lang? Willst du nicht einmal eine Pause machen?

Willst du was essen? Willst du was trinken? Gar nichts? Verdirbst du dir nicht die Augen? Hast du es warm genug? Zieht es nicht? Sitzt du weich genug? Willst du wirklich nichts essen? Nichts trinken? Willst du mich beschlafen –?« und so weiter. Erst als ich ärgerlich wurde, ging sie beleidigt fort. Aber sie ist leider nicht lang beleidigt. In weniger als einer Stunde kommt sie bestimmt wieder.)

Manche Dinge gehen sehr schnell in der Großnasen-Welt. Ich hatte, als ich das Hong-tel verließ, um an der angegebenen Adresse nach dem Brief von Herrn Geprüften Gelehrten Nong-min zu fragen, auch ein Bündel meiner gebrauchten Leibwäsche bei mir, die ich in eine der hier üblichen öffentlichen Wäschereien bringen wollte. Das war der Haken, an dem Frau Ya-na (oder: ich?) hängen blieb. Frau Ya-na bat mich in ihre Wohnung, scheuchte die Kinder – was nicht lang vorhielt – aus dem Zimmer, bot mir eine Schale jenes braunen Getränkes an, von dem ich Dir, glaube ich, schon erzählt habe und gab mir tatsächlich einen Brief von Herrn Nong-min, in dem aber nur stand, daß Herr Shi-shmi in diesem laufenden Weisheitsvermittlungs-Zeitraum (es gibt regelmäßig deren zwei im Jahr, einen im Sommer, einen im Winter) nicht seine Weisheit ausbreiten werde, vielmehr sich auf Studienreise befinde. Das Nähere, schrieb Herr Nong-min überaus freundlich, erfahre ich beim Vorsteher der Weisheitsvermittlungs-Unterabteilung, der Herr Shi-shmi angehört. Herr Nang-min hatte mich vorsorglicherweise dort schon angemeldet und außerdem noch vorsorglicher ein Empfehlungsschreiben beigelegt.

Ich seufzte trotz der Freundlichkeit des Briefes. Eigentlich hätte ich nun gehen können, aber das wäre mir unhöflich erschienen, und so fragte ich Frau Ya-na nach dem Wohlbefinden ihrer Kinder, die vom Nebenzimmer aus an die Tür tobten, nachdem die Mutter sie drei Mal in kurzer Zeit wieder gescheucht und zuletzt die Tür abgesperrt hatte.

Frau Ya-na wiederholte mehrfach, daß die Kinder entzückend seien und ihre ganze Freude im Leben. Auf meine Frage nach ihrem Herrn Gemahl wurde sie verlegen und sagte: »– den beiden Vätern geht es gut, nehme ich an«, worauf ich natürlich keine weiteren Fragen in diese Richtung wagte. Ich wälze seitdem das Problem in meinem Kopf: hat jeder dieser Väter eins der Kinder gezeugt oder – den Großnasen ist ja jede noch so abwegige Erfindung zuzutrauen – haben die beiden bei der Erzeugung beider Kinder zusammengewirkt? Nur: wie –?

Da fragte aber nun Frau Ya-na, was da in meinem Bündel sei, und ich sagte: »– meine gebrauchte Leibwäsche, die ich –«, usw. Da ergriff sie, ohne daß ich auch nur eine Handbewegung machen konnte, das Bündel, sagte: »Ich wasche ohnedies«, und verschwand. Zu meiner Unterhaltung, wie sie sagte, ließ sie die süßen Kleinen auf mich los, die auch sofort über mich herfielen. Insbesondere der Knabe, so klein er war, versuchte mit gespielter Blödheit auf sich aufmerksam zu machen. Das noch kleinere Mädchen flocht aus künstlichen Blumen einen scheußlichen Kranz und wollte ihn mir unbedingt aufsetzen. Ich erwog schon den Plan, meine Wäsche im Stich zu lassen (was ein schmerzlicher Verlust gewesen wäre) und zu fliehen, da kam Frau Ya-na wieder herein – fast unbekleidet, stöhnte: »– so eine Hitze!« (was stimmte, es war ein sehr heißer Tag), die Kinder wieder vertrieb und ihre großen Zehen vor meinen Augen spielen ließ.

So kam es also dazu, lieber Dji-gu. Ich gestehe, daß es mir – trotz der entzückenden Kleinen – zunächst gelegen kam. Mein Geld war ja nahezu verbraucht, eine Quelle für neues Geld war nicht in Sicht, der Rettungsanker Herr Shi-shmi wieder in unwägbare Ferne gerückt. Ich blieb also bei Frau Ya-na. Sie bekochte mich, sie wusch meine Wäsche, sie versorgte mich in jeder Hinsicht, und meine einzige Gegenleistung bestand darin, die Kindlein zu ertragen. Eigentlich schlecht hatte ich es, muß ich zugeben, nicht.

*

Es heißt, jede Erfahrung habe ihren Wert. Ich weiß nicht, ob das stimmt. Meine erste Zeitreise damals, auf der ich Dir die Briefe in die Vergangenheit geschrieben habe, habe ich aus Wißbegierde gemacht (die eine Tugend ist, im Gegensatz zur Neugierde, einem Laster). Die Reise jetzt mache ich aus Not. Dennoch bereichert vieles mein Wissen um die Welt der Großnasen, zumal ich diesmal notgedrungen einen anderen, sozusagen weit niedrigeren Blickwinkel vor Augen habe. Aber ich weiß nicht, ob man wirklich alles wissen muß, ob ich die Erfahrung in diesem Hause wirklich machen mußte. Häuser, oder besser gesagt: Häuserblocks wie diesen gibt es in jeder Stadt der Schüssel-Provinz zu Dutzenden, wenn es sich um eine kleine, zu Hunderten wenn nicht Tausenden, wenn es sich um eine große Stadt handelt. Oft sind sie viele Stockwerke hoch, und die Wände sind – ich habe mich durch Hinklopfen überzeugt – aus so etwas wie stärkerem Papier. Ich wundere mich, daß diese Häuser aufrecht stehenbleiben. Alle Häuser sind gleich von vornehmer blaßgrauer oder gelblichbrauner Farbe. Daß es immer nach Kohl riecht, habe ich, glaube ich, schon erwähnt. Manchmal riecht es aber auch säuerlich oder nach wenig angenehm duftendem Heizmaterial: sie nennen es braune Kohle. (Wenn der Gärtner in meinem Park faules Gras verbrennt, riecht es ähnlich.)

Die einzelnen Wohnungen in den Häusern, übereinander und nebeneinander geschachtelt, sind sehr klein, sehr niedrig und enthalten eine Fülle von Gegenständen. Frau Ya-na verfügt über mehrere verschiedenfarbige Schränke und Truhen, dazwischen sind die Betten geklemmt, auch Tische, Stühle, Weich-Stühle und Gerätschaften unerklärlicher Funktion füllen die verbleibenden Zwischenräume. Dazu ein Käfig mit Hamstern und Meerschweinchen, die aber nicht, wie ich zunächst angenommen hatte, zum Verzehr bestimmt sind, sondern den Kindern zur Unterhaltung dienen, einige Vögel in einem Käfig und ein großer, viereckiger Glasbehälter mit Fröschen, die auch nicht gegessen werden.

Ich sagte anfangs einmal zu Frau Ya-na: »Ich halte es für eine Unverschämtheit, daß deine Freunde und Verwandten ihr Zeug, das sie bei dir untergestellt haben, nicht endlich abholen.«

Frau Ya-na blickte verständnislos. Nein, nein, sagte sie dann, das gehöre alles ihr, und in einigen Tagen komme noch ein kleines Holzhaus für den entzückenden Knaben, der sich dies dringend wünsche.

Das Holzhaus (ich schätze es auf fünf chi der Länge, Breite und Höhe nach) kam auf das Bett, in dem Frau Ya-na und ich schliefen, wurde in der Nacht jeweils auf den Herd geräumt. Überhaupt mußte ständig je nach Bedarf umgeräumt werden, um den eben gewünschten oder notwendigen Bedürfnissen nachkommen zu können. Ich will Näheres nicht schildern, um nicht indezent zu werden.

Da ich auch Gelegenheit hatte, aus diesem oder jenem Grund die anderen Wohnungen in dem Haus zu sehen (man war allseits wechselweise befreundet), weiß ich, daß es überall so aussieht.

Betreffend dieser Gelegenheiten gab es eine unschöne Auseinandersetzung zwischen Ya-na und mir. Im gleichen Haus wohnte nämlich eine andere Dame, seltsamerweise auch mit zwei Kindern, seltsamerweise auch von zwei, wie sie sagte, »Erzeugern«, hatte allerdings rote Haare und hieß Na-ta. Frau Na-ta erbot sich eines Tages, als ich an ihrer Tür vorbeiging, mir ebenfalls die Wäsche zu waschen. Sie trug ein sehr dünnes Kleid, und da Frau Na-ta weit schlanker und mit nicht so großen Füßen behaftet war, hätte sie mir eigentlich besser gefallen, aber als Frau Ya-na das – ich kann nichts anderes vermuten – roch, raste sie wie ein Dämon, barst vor Zorn und hätte beinahe Frau Na-ta die roten Haare ausgerissen. Seitdem paßte die Orangehaarige wie ein Schießhund auf jeden meiner Schritte auf, und ich konnte der schönen Frau Na-ta nur ab und zu verstohlen zuwinken. Einmal gelang es mir, ihr eine Rose zu schenken, und sie steckte mir am Tag darauf einen Zettel zu, auf dem stand, daß sie mit der Rose des nachts ihren nackten Leib liebkost habe.

Oh wehe! Wenn Frau Ya-na diesen Zettel fände.

*

Sehr bald, wie Du Dir denken kannst, suchte ich den Höchst Ehrwürdigen Herrn Vorsteher in der Weitreichenden Weisheitsstätte auf. Es ist fast wie bei uns. Ich drang nicht zu ihm vor. Anders als bei uns, versperren einem aber Damen oder auch Weiber den Weg zu den Hochgestellten. Zwei von diesen Damen-Weibern, beide äußerst umfänglich (wie Os-si nicht ungern sind), schnatterten herum und taten zunächst, als übersähen sie mich. Als sich die eine (eine hatte bläuliche, die andere leicht purpurfarbene, stark gekringelte Haare) endlich herbeiließ, den Empfehlungs-Brief entgegenzunehmen, und ihn gelesen hatte, wurde sie etwas freundlicher und verschwand dann nach hinten. Als sie nach einiger Zeit wiederkam, erklärte sie mir sehr laut –

»Sie brauchen mit mir nicht schreien«, sagte ich, »ich bin zwar Ausländer, aber nicht schwerhörig.«

Manchmal packt mich der Zorn. Ich gehöre zwar nicht in diese Welt, aber ein Mensch bin ich doch, wenngleich ich meine Würde aus einer fernen Zeit beziehe. Oder bin ich nur ein Gespenst? Aber auch Gespenster lassen sich nicht alles gefallen, wie man hört. Grad die nicht.

Die Blauhaarige wurde, nachdem ich sie so angefahren

hatte, auf den Schlag unglaublich höflich, bot mir einen Stuhl an – den ich ablehnte, ich wollte so schnell wie möglich hinaus – und schrieb mir auf einen Zettel einen Termin in etwa sieben Tagen zur Nachmittagsstunde, zu dem der Herr Dekan Zeit für mich habe.

*

Und wen traf ich vor dem Gebäude? Hei-tsi. Er saß auf einer Bank zwischen Büschen und döste.

»Hallo, Hei-tsi«, rief ich. (Ich weiß, daß man in den Kreisen Hei-tsis die unsereinem ungewohnten, leichteren Umgangsformen bevorzugt.)

Hei-tsi hob schwer seine Augen.

»Hä?« sagte er dann.

»Ich bin der Unglückliche, kennst du mich nicht mehr?«

»Ich kenne keinen Unglücklichen«, brummte Hei-tsi. – Aha! dachte ich, der kennt mich zur Vorsicht nicht mehr. Aber ich kenne den Punkt, an dem er sterblich ist.

»Wie wär's mit einem ermunternden Schaumgetränk?«

»Großartig«, sagte er und wälzte sich hoch. Ich hatte gar nicht gesehen, daß neben ihm, von den Büschen fast verdeckt, noch einer döste. Hei-tsi gab dem einen Tritt und schrie: »He! aufwachen! es gibt was zum Zwitschern.« Da rumpelte der Angestoßene auch auf. Er sah fast noch ärmlicher aus als Hei-tsi und hatte einen Handwagen dabei.

»Das ist der Lo-lang«, sagte Hei-tsi, »er ist blind.«

Wir gingen in eine nahegelegene Schänke. Ich wählte eine von nicht zu gutem Aussehen, um in Gesellschaft der beiden nicht sofort hinausgeworfen zu werden. Wir tranken ermunternde Schaumflüssigkeit und auch andere, kleinere ermunternde Getränke. Ich versuchte mehrfach, auf das entwendete Geld in höchst zurückhaltender Form anzuspielen, aber Hei-tsi tat, als sei er auf diesem Ohr taub.

Freilich hatte ich auch nicht die Absicht, Hei-tsi zu den Getränken einzuladen. Meine Absicht war rächend bösartig, und so verfuhr ich auch. Unter dem Vorwand, die Kleider wechseln zu müssen,* verließ ich geschickt das Lokal und entfernte mich rasch. Es freute mich, Hei-tsi seinem Schicksal überlassen zu haben. Daß der blinde Lo-lang auch in Mitleidenschaft gezogen würde, bedauerte ich.

Ich eilte heim zu Ya-na.

*

Heim zu Ya-na?

Ich hatte schon nach wenigen Tagen erkannt, daß Ya-na, die überwölbende, höchst gefährlich war. Nicht etwa, daß sie mich ausgefragt und versucht hätte, hinter meine Herkunft zu kommen, nein, dazu redete sie selber zu viel. Sie redete eigentlich ununterbrochen, sofern sie nicht schlief, selbst während der Liebesvereinigung. Aber auch das war nicht der Grund ihrer Gefährlichkeit. Ich mußte die Flucht ergreifen, wenn ich nicht endgültig und ohne Aussicht auf Entkommen in der fröschebeengten Wohnung der Frau Ya-na festgenagelt bleiben wollte. Vor lauter Fürsorge hat sie nicht nur mich gebadet (ist ja nicht so außerordentlich unangenehm), sie mischt sich auch in alles und jedes, ist in ihrer Umsorgungs-Überwölbung besorgt, daß ich ja zur rechten Zeit meinen Tee bekomme, hat leider auch meine Reisetasche – was ich für einen völligen Blödsinn halte – gewaschen und dabei die Zeitmaschine entdeckt. Sie hat sie ihrem entzückenden Sohn zum Spielen gegeben (ich war da grad unterwegs, um beim Herrn Hochmögenden Vorsteher meine von ihm so genau festgesetzte Aufwartung zu machen, davon später), und Du kannst Dir

---

* Euphemistischer Ausdruck für das Aufsuchen der Toilette. (Anm. des Übersetzers.)

meinen Schrecken vorstellen, als ich die Maschine in den Händen des Bengels sah, wie ich heimkam. Es hätte nicht viel gefehlt, und er hätte den Mechanismus durchschaut – und er wäre in die chinesische Vergangenheit entschwunden. Jetzt, wo ich das schreibe, kann ich darüber lachen: stelle Dir die Groß-Rotz-Nase vor, irgendwo im Reich der Mitte sitzend und ohne seine Fernblickmaschine... Na ja; aber da, als ich das kostbare Gerät in den Händen des bleichen Dicklings sah, wurde mir natürlich anders. Ich entriß es ihm, der Knabe brüllte, Ya-na brach in Tränen aus, heulte, daß ich den entzückenden Kindern verständnislos gegenüberstehe, obwohl sie, die Kinder, mich so über alle Maßen liebten und bereits nahe daran seien, mich »Vater« zu nennen.

Oho! dachte ich mir da. Jetzt ist es Zeit aufzubrechen, bevor die Dame etwas in die Wege leitet, das dann eine Halb-Großnase in der Tat berechtigt, zu mir »Vater« zu sagen. Dazu kam das, was ich vom Herrn Hochmögenden Vorsteher erfahren hatte: Herr Shi-shmi kehre erst im Spätherbst nach Lip-tsing zurück, und er halte sich bedeutender Studien halber in einer sehr fernen Stadt namens »Der große Apfel« auf. Er gab mir sogar die genaue Aufzeichnung der Adresse, an der ich Herrn Shi-shmi finden könne. Auf meine schüchterne Frage allerdings, wie ich in die Stadt »Großer Apfel« kommen könne, wußte der Hochmögende auch keine Antwort.

So werde ich mich wieder einmal in die grau-grünen Wogen des Lebensgeschickes werfen, in denen der Weltgeist mit seinem Löffel rührt – bis jetzt bin ich immer oben geblieben. Als aufgeklärter Mensch weiß ich natürlich, daß das nicht immer so sein muß. Im Gegenteil: die Chancen zum Unglück werden je größer, desto öfter man Glück gehabt hat. Ist doch klar.

Aber lieber die Eisschollen des Unglücks als die feuchtwarme Umhüllung einer Frau, die sogar darüber wacht, wie oft man die Kleider wechselt.

VI

Du glaubst es nicht. Wo bin ich? Du glaubst es nicht. Du kannst das nicht fassen. Du kannst so etwas nicht fassen. Du kannst Dir nicht vorstellen, daß es so etwas gibt. So etwas hat es nie gegeben. Und in Deiner buntesten Phantasie, und schlage sie Purzelbäume, kannst Du Dir nicht ausmalen, daß so etwas möglich ist, und daß dies die Welt dereinst fragen wird: die Stadt »Der Große Apfel«, ein Wunder unter dem Himmel.

Ich sage Dir: eine Stadt wie ein Meer aus Stein, eine Stadt mit Häusern so hoch wie der Himmel, die Bäume dazwischen kriechen wie Gras, eine Stadt aus Städten übereinander, Myriaden von Fenstern aus blinkendem Glas, Kaskaden von Licht, das in der Nacht die Fassaden auf und ab fährt, die Häuser, sagt man, kratzen die Wolken. Eine wogende Brandung von bunten Menschen füllt die Straßen, die wie Schluchten sind, und Tausende – meist gelber – A-tao-Wagen tosen hindurch, ein Puls von fliegendem Leben, Rosse der Begeisterung, Drachen aus Luft und Wasser, schwarze und weiße Blitze durchfahren diesen »Großen Apfel« bei Tag und bei Nacht, und es ist alles ruhelos und herzpochend, ein Meer von einer Stadt, ein brodelnder Kessel, und dennoch findest du an jeder Ecke einen freundlichen Menschen, der einen Karren mit sich führt, von dem er dir meist süßes Brot verkauft.

Die Stadt ist unendlich, umgrenzt von meerweiten Flüssen, die von hochragenden Brücken überspannt werden, Häuser von der Pracht alter Tempel, nur tausendmal so groß, Parks und Plätze, und Leben und Leben und Leben. Bin ich im Zentrum der Welt?

Es ist Sommer. Die langen Tage sind gekommen. Es ist heiß. Abends sitze ich manchmal am großen Meer-Fluß und blicke nach Westen, wo die Sonne hinter den riesigen Häusern aus Marmor, Glas und Stahl untergeht. Ihre Silhouette spiegelt sich im ruhigen, breiten Fluß, der Himmel wird rosarot, die Silhouette wird zu einer spielerischen Linie von violetter Farbe. Ein leiser Wind kommt auf und kräuselt die Bäume. In der violetten Silhouette blühen nach und nach und immer schneller unzählige Lichter hinter den Fenstern auf, die sich im zitternden Wasser wiederholen...

Das ist die Stadt »Großer Apfel«, und manchmal meine ich, ich habe Schöneres noch nie gesehen. –

Aber, wirst Du fragen, wie komme ich hierher? Das ist natürlich wieder eine lange Geschichte, und sie beginnt an eben jenem Tag, als ich einen Tobsuchtsanfall bekam, weil Frau Ya-nas Knabe mit meiner Zeitmaschine herumspielte, und an dem ich eben erfahren hatte, daß sich Herr Shi-shmi in der Stadt »Großer Apfel« aufhielt.

Frau Ya-na versuchte, mein Toben mit allen ihr zur Verfügung stehenden (teils zugegebenermaßen angenehmen) Mitteln zu lindern, aber mein Entschluß stand fest. In der Nacht, als alle schliefen, nahm ich leise meinen vorsorglich und heimlich vorbereiteten Koffer und meine Tasche, hauchte im Vorübergehen einen stummen Gruß an Frau Na-tas Tür und schlich hinaus. Es gelang.

Nur: wohin?

Ich hatte in der Zeit mit Frau Ya-na so gut wie kein Geld verbraucht, hatte noch die wenigen blauen Scheine, aber zu wenig, um in dem besseren Hong-tel Aufnahme zu finden, in dem ich vorher gewohnt hatte. Es gibt, dachte ich mir, auch billigere Absteigen, aber wie sie finden? Mitten in der Nacht?

Ich irrte durch die nächtlichen Straßen, schleppte mein Gepäck, und meine Schritte hallten. Ab und zu setzte ich mich auf eine Bank in einem Park. Das ganze ist, mußt Du wissen, alles andere als ungefährlich. Es treibt sich viel Gesindel herum, und ein einzelner Mensch, namentlich ein fremdartiger, wie ich es hier in der Welt bin, ist gleich einmal Ziel eines Angriffs. In der Stadt »Haste-mal-ne-Mark-für-mich« ging ich manchmal mit dem Freund I-go, von dem ich Dir geschrieben habe, an den Abenden, an denen wir keine Vorstellung hatten, »die Kneipe suchen«. Ich verstand zunächst nicht. I-go sagte mir nämlich mit gespieltem Ernst, er suche, seit er am Leben sei, oder zumindest, seit er auf den Beinen stehen könne, *die* Kneipe. Die Kneipe aller Kneipen. Die ideale Idee der Kneipen-Idee an sich. Kurzum: die Kneipe, in der er sich wirklich wohlfühle. Bisher, so I-go, habe er sie trotz allen Suchens nicht gefunden, aber er gebe nicht auf. So gingen wir oft »die Kneipe suchen«. Du ahnst es schon, er fand sie auch in meiner Gesellschaft nicht, die Kneipe aller Kneipen, aber besondere Hoffnung setzte er auf einen gewissen Bezirk der großen Stadt »Haste-mal-ne-Mark-für-mich«, der hieß »der gekreuzte Berg«. Tatsächlich fand sich dort nahezu an jeder Ecke eine Kneipe, aber leider erlebte ich dort das, was mich vermuten läßt, daß die Großnasen trotz ihrer ganzen mechanischen Bequemlichkeit in keiner Idylle leben.

Das war damals so, in der Stadt »Haste-mal-ne-Mark-für-mich«: ich saß lang in der Kneipe, die nicht *die* Kneipe für I-go war, was ihn aber nicht hinderte, wie angewachsen auf seinem Hocker zu verbleiben. Mir wurde es zu dumm, und so ging ich allein, ohne den großen I-go, in dessen Begleitung man etwas sicherer ist, in Richtung unseres Circus-Wohnwagen-Lagers.

Kommen da aus einer Seitengasse plötzlich fünf junge Männer hervorgestürmt – ich hielt sie erst für buddhistische Priester, weil sie kahlgeschorene Köpfe hatten – und schwangen drohend entsetzliche Stöcke. »Schau«, schrie einer (ich ahnte mehr als ich verstand, was er sagte, denn er redete in der Sprache der Sang-xi-Leute), »schau, daß du hinkommst, wo du hingehörst, du gelbes Schwein –« und so fort. Sie waren natürlich auch besoffen, sangen dann, einer schüttete mir einen Rest gegorene Flüssigkeit aus einer Dose auf den Kopf, und dann machten sie Miene, über mich herzufallen. Ich machte rasch einen Sprung von dreißig Jahren mit meiner Zeitmaschine, nach einiger Zeit zurück. Ich mußte zwar lachen, wie ich dann aus einem sicheren Winkel den vor Schreck über mein rätselhaftes Verschwinden entsetzten und heulenden Haufen sah, eine der Jung-Glatzen hatte sich in die Hose gemacht, aber beängstigend war es doch.

Man wird höllisch aufpassen müssen, daß das alles nicht in einen Abgrund führt. Aber sie passen nicht auf, die Großnasen. Sie verkriechen sich in ihre Häuser, wo sie meinen, daß sie sicher sind. *Noch.* Aber lang wird es nicht dauern, dann respektieren die Ledermänner, die auf donnernden Zweiradfahrzeugen auf den Straßen Jagd nach Leuten machen, auch die geschlossenen Türen nicht mehr.

Gut – meine Welt ist es nicht. Wie schon anfangs geschrieben: die Großnasen hier in dem Vereinigten Schwarz-Roten Reich meinen, daß sie gesund sind, weil von ihrem Hühnerauge geheilt. Eines Tages werden sie merken, wo der Krebs sitzt. Wenn nämlich das freche Chaos der Laut-Lümmel auch in ihre Zimmer schwappt. Dann werden sie es merken. Zu spät.

*

Du wirst – dies eine Zwischenbemerkung – fragen, warum ich zu Herrn Shi-shmi den, wie Du richtig schon vermutest, mühevollen Weg in die Stadt »Großer Apfel« gewählt habe und nicht statt dessen einfach einen Zeitsprung bis zu seiner Rückkehr unternommen habe.

Ja: wenn dies so leicht getan wie gesagt wäre. Die Maschine läßt sich nur auf Jahre einstellen. Für kürzere Zeit-Entfernungen ist sie zu ungenau. So etwa dreißig Jahre ist das kürzeste. Weiß ich, was in dreißig Jahren mit Herrn Shi-shmi ist? Außerdem kam mir, wie Du gleich sehen wirst, ein angenehmes Geschick wieder zu Hilfe. Vielleicht belohnt mich der Weltgeist weiterhin für meine gute Tat... obwohl ich da eher an Zufall glaube.

*

Um das zu schildern, was mir in jener Nacht zunächst schrecklich Erscheinendes und dann wie ein Wunder sich zu meinen Gunsten Fügendes widerfuhr, muß ich vorweg eines Umstandes erwähnen, den ich meines Wissens noch nicht berührt habe: unsere Landsleute, oder besser gesagt, unsere fernen Enkel. Die Großnasen nennen sie – eine verballhornte Bezeichnung aus dem Wort Sin – (oder nennen *uns*) Xin-neng-sen. Schon vor zweihundert Jahren, von hier ab gerechnet, ergriff die Großnasen eine große, zeitweilig förmlich zur Mode ausufernde Begeisterung für Xin-neng oder »China«, und sie ahmten, so gut sie konnten (sehr gut konnten sie es nicht) unsere Bauwerke und unsere Porzellankunstwerke nach. Manchmal findet man aber auch echte Zeugnisse unserer Kultur, allerdings meist aus viel späterer Zeit als Deine und meine Zeitheimat.

Nun aber gibt es sogar »Chinesen« außerhalb des Reiches der Mitte, nicht viele, aber doch so viele, daß eine Erscheinung, wie ich es bin, nicht überall so ganz außergewöhnlich ist. Sie betreiben meist Eßlokale, in denen man den Großnasen Gerichte auftischt, die ihnen für chinesische solche vorgespiegelt werden. Ich habe sie versucht. Keine Rede davon. Keine gebratene Pekinesenleber. Dem Koch, den ich zur Rede stellte, war die Sache sehr peinlich. Der war aber auch gar kein »Chinese«, er war aus Viet-nam. Die meisten sogenannten »Chinesen«, mußte ich feststellen, stammen aus Viet-nam, und so kannst Du Dir vorstellen, was die zusammenkochen.

Sei es drum. Die Großnasen erfreuen sich daran und sind stolz, wenn sie mit Stäbchen nicht alles auf dem Boden verstreuen. (Sie selber, habe ich das je berichtet? es ist schwer, alles zu vermerken, was fremdartig ist – sie selber essen äußerst umständlich und schweißtreibend mit verschieden geformten Metallgeräten, die wie kleine Säbel, Gabelspieße oder Schöpfkellen aussehen. Feinere Leute benutzen solches in Silber, wenn nicht gar in Gold.) Es wäre auch weiter nichts dagegen einzuwenden, wenn nicht diese Leute von Vietnam, von denen wir – mit Recht, wie wir meinen – wenig halten, milde ausgedrückt, wenn die sich dabei aufhielten, angeblich »chinesische« Gerichte zu kochen. Tun sie aber nicht. So wie die östlichen Insel-Zwerge hier als gelackte Halb-Betrüger das Land unsicher machen, so diese südlichen Sanft-Schleicher als abgefeimteste Schmuggler. Zum Glück allerdings bringen sie sich gegenseitig regelmäßig um – leider nicht oft genug, es bleiben viele übrig. Zu viele. Nun gut, es ist nicht meine Welt; die Großnasen stehen der Sache ziemlich hilflos gegenüber. Es ist nämlich so, daß nach offizieller und sehr laut verkündeter Meinung (die Mandarine und Minister reden in der Fernblickmaschine ständig davon) der *Fremdling* das gehätschelte Kind der Nation ist. Wenn man jene so hört, meint man, ein Fremdling wird förmlich auf Händen getragen, es werden ihm alle Wege geebnet, es sollen möglichst viele Fremdlinge ins Land kommen, und jeder von ihnen bekommt gleich zwei oder drei Goldberge.

In Wirklichkeit kriegen sie einen Tritt, aber das darf nicht laut gesagt werden. Es ist nun aber auch wieder verständlich. Den Leuten im Land geht es immer schlechter, weil sie sich zu stark vermehren, der Staat ist verschuldet, daß ihm der Hut schon nicht mehr paßt, weil alles und jeder an seinen Eutern saugt und weil die Mandarine, Kanzler und Minister keinen zurückzustoßen wagen, denn sie sind auf die Gunst der Bevölkerung alle vier Jahre angewiesen, wenn durch das

Wahl-Spiel das Urteil der Gottheit angerufen wird – kurzum, die Leute in ihrer miesen Lage hören die Schmeicheleien über Fremdlinge und erbosen ziemlich. Die Bosheit wird je stärker, desto strikter es verpönt ist, ihr nach außen Ausdruck zu verleihen.

Die glatzköpfigen Schein-Buddhisten mit ihren Ringlein in den Nasen und den Grob-Stöcken, die die Mohren und »Chinesen« verprügeln, sind so gesehen fast die ehrlichsten. Bei ihnen weiß man, woran man ist, und man kann versuchen, ihnen aus dem Weg zu gehen. Natürlich handelt es sich bei ihnen aber um Berserker übelster Art. Wenn sie prügeln, muß die Polizei, müssen die Gerichte sie verfolgen – wenngleich ungern, wie sich denken läßt.

Es ist, wie so oft in der Welt der Großnasen, ein Zustand der Geistes-Unklarheit und Verlogenheit. Selbst bei einem so aufgeklärten Menschen wie Herrn Geprüften Gelehrten Shishmi habe ich – wenngleich erst nach längerer Zeit und bei genauerem Hinhören – vermerkt, daß er in manchen Dingen hinter seinem Rücken anders denkt, als er nach vorn redet.

Ich bin weit abgeschweift, aber es ist notwendig, um die nun zu schildernden Vorgänge zu verstehen.

Du kennst den Aberglauben der Großnasen mit den Brandopfern: die Tsi-ga-gei, die sie brennend im Mund balancieren. Der Staat erhebt auf solche Tsi-ga-gei eine Art wohl religiöser Steuer, wodurch das einzelne Röllchen verhältnismäßig teuer wird. Die Leute aus Viet-nam aber haben irgendwelche Quellen, von denen aus sie die unversteuerten Röllchen ins Land schmuggeln und zur Nachtzeit billiger verkaufen. Das Geschäft ist so gewinnträchtig, daß sich neidische Cliquen gebildet haben, die einander den Gewinn nicht gönnen, und so bringen sie einander nicht ungern um.

Gehe ich also mit meinem Gepäck in jener Nacht durch Lip-tsing, tönt doch plötzlich großer Lärm auf. Ich sehe im fahlen Licht der Laternen einige Leute von Viet-nam laufen, andere mit Messern hinter ihnen her. Noch bevor ich mich verstecken konnte, erblickte mich einer – schrie mir etwas zu, was ich nicht verstand, ich versuchte zu fliehen, einer mit einem langen Messer stach auf einen der Laufenden ein, der stürzte blutend, ein anderer rollte die Augen auf mich hin, aber zum Glück wurde seine Aufmerksamkeit von einem seitlich aus einem Hauseingang Herausspringenden abgelenkt, der ein noch größeres Messer in der Faust hielt – das Durcheinander wurde noch größer, heisere Schreie flogen hin und her. Ich suchte hinter der steinernen Figur eines Brunnens Deckung, wurde sogar naß, weil ich mich ins Brunnenbecken duckte. Da rannten zwei an mir vorbei, der eine mit einem großen Bündel. Er verwechselte mich wohl mit einem der Seinen und warf mir – im Augenblick unbemerkt von seinem Verfolger – das Bündel zu, das ich nicht auffangen konnte, aber dann aus dem Wasser zog...

Der Lärm verlor sich. Ich hörte Schreie und Gurgeln, aber von weiter drüben her. Noch einmal rannte einer mit einem blutigen Messer an mir vorbei, sah mich nicht. Dann wurde es still.

Ich wartete einige Zeit. Dann schlich ich ganz leise und gebückt davon. Das nasse Paket nahm ich mit.

*

Der Morgen graute bald. Es wurde, wie immer vor der aufgehenden Sonne, etwas kälter. Ich fröstelte und zog mich in den Eingang eines Hauses zurück, das zu denen gehört, die am Zusammenfallen sind. Es war bereits unbewohnt, aber – dachte ich mir – diese paar Stunden wird es noch stehenbleiben. Ich stieg durch ein schon zerbrochenes Fenster ein.

Ich öffnete das nasse Paket:

– und ich fand eine große Menge durchnäßter und vermutlich unbrauchbarer Brandopfer... und: hunderte von blauen Scheinen und sogar braunen Groß-Scheinen. Auch durchnäßt. Aber im Gegensatz zu den Brandopfern werden die Scheine nicht unbrauchbar durch Nässe. Ich legte sie also auf dem Fußboden aus und beobachtete, wie sie erst lappig klebend, dann trocknend im Morgenwind flatterten. Bevor sie davonflatterten, sammelte ich sie ein und verwahrte sie gut in meiner unauffälligen Reisetasche.

Draußen hatte inzwischen das Leben wieder begonnen. Ich sicherte nach beiden Seiten, dann stieg ich aus dem Fenster und begab mich zu dem großen Feld der Eisernen Drachen.

*

Ich habe mir, wie Du Dir denken kannst, schon vor meinem glücklichen Fund (wenn man es so nennen kann) über die Reise Gedanken gemacht. Frau Ya-na zu fragen, unterließ ich wohlweislich. Aber ich kenne mich ja inzwischen aus. An einem der großen Plätze ist eine Art Laden, in dem man sich nach allem möglichen erkundigen kann und auch Auskunft bekommt, die man nach einigen, selbstverständlich höflich vorgebrachten Rückfragen auch versteht.

»Sonne des Weltwissens«, fragte ich, »du kennst ohne Zweifel die bedeutende Stadt ›Großer Apfel‹, wenngleich sie natürlich längst nicht so bedeutend ist wie die Stadt Liptsing, die das Glück hat, eine Perle deines Ausmaßes in ihren Augen zu bergen.«

Das mit dem »Ausmaß« wäre beinahe schief gegangen, denn die stark umfängliche, dennoch erstaunlicherweise in enge Kleider gehüllte Perle verstand es offenbar in anderem Sinn. Aber da ich höflich lächelte, lächelte sie auch, wenngleich säuerlich, und antwortete: ja, sie kenne die Stadt »Großer Apfel«, das heißt, sie wisse, wo sich diese Stadt befinde; dort gewesen sei sie noch nicht.

»Wie weit zu gehen?« fragte ich.

Da platzte sie fast vor Lachen, und ich verbesserte mich schnell: »Wie weit zu fahren, meine ich?«

Aber sie lachte weiter. Ihr umfänglicher Perlenkörper geriet in Wallungen, zwei andere ähnliche Perlen, die in der Nähe saßen, wurden angesteckt, die Brüste gerieten in gefährliche Bewegungen, der Boden zitterte bereits, die eine der Perlen schnappte nach Luft und schrie: »– ich kann nicht mehr, ich kann nicht mehr!«, die andere wedelte flossenartig mit ihren sehr ausführlichen Armen, da tat es einen Knall – die erste Perle schrie auf, jetzt nicht mehr vor Lachen, sondern vor Entsetzen: sie war im Augenblick noch dicker geworden, gleichzeitig hatte sich ihre obere Fülle mehr zur Mitte hin begeben.

»Mein Brüste-Bändiger ist geplatzt!« schrie sie und zwängte sich durch eine Tür hinten hinaus.

Ein etwas besonnenerer Mann trat dann ein, bemerkte zwar auch, daß ich wohl hinter dem Mond lebe – was für ein anödender Witz –, gab mir dann aber Auskunft, daß die Stadt »Großer Apfel« viele tausend Li entfernt sei, und zwischen hier und dort liege ein gewaltiges Meer (er zeigte mir eine Landkarte), und mit dem Schiff sei man einen halben Mond lang unterwegs, und das beste Reisemittel sei der Eiserne Drache.

Auf meine Frage, wieviel solche Reise koste, nannte er mir eine Zahl, die mich erblassen und meinen kläglichen Geldbestand zu einem Nichts schrumpfen ließ.

Aber jetzt, mit den getrockneten Braun- und Blau-Scheinen, war ich gewappnet, schritt wacker in den Laden, in dem man Berechtigungspapiere für den Flug mit dem Eisernen Drachen erwerben kann, sagte kühn: »Einmal zum ›Großen Apfel‹ und zurück«, und erhielt so ein Papier, stieg dann ebenso kühn in einen mietbaren A-tao-Tak-si und ließ mich hinaus zur Eisernen-Drachen-Weide bringen, einer großen, freien Fläche draußen vor der Stadt.

※

Ja. Ich gebe es zu. Mulmig war mir doch. Gewaltig mulmig. Was es mit den Eisernen Drachen im Einzelnen auf sich hat, habe ich Dir ja in meinen Briefen damals von meiner ersten Reise zu den Großnasen im Zusammenhang mit Kleiner Frau Chung mitgeteilt, die ja Fliegende Servier-Zofe in so einem Eisen-Drachen war (und wohl noch ist). Im Prinzip war mir also der Drachen geläufig, aber wie ich jetzt so dastand, selbstverständlich der Kleinste unter den wartenden Passagieren, wurde mir doch anders. Stunden sollte der Drachen-Ritt währen. Am liebsten wäre ich umgekehrt, aber da schrillte schon eine unhöfliche Stimme und trieb uns hinaus aus dem Haus und übers Feld in den Eisen-Drachen, den man mittels einer Leiter erstieg. In einer anderen Stadt, deren Namen ich vergessen habe, der mir bei all dem Dröhnen wahrscheinlich gar nicht zu Ohren kam (wir erreichten die Stadt binnen kurzer Zeit), mußte ich in einen anderen, größeren Flug-Drachen überwechseln, der dann über Land und Meer, durch Tag und Nacht, unter einem violetten Taghimmel und einem schwarzen Nachthimmel hindurch Stunden um Stunden dahinzog, bis wir die Stadt »Großer Apfel« erreichten, wo sich der Drache holpernd niederhockte, noch ein paar Mal fauchte, und uns dann entließ.

Wie ich das alles überstanden habe, was sich hier so leicht niederschreibt, kann ich nicht sagen. Ich weiß nur, und Du siehst es an meinen Zeilen, *daß* ist es überstanden habe.

Nicht, daß Du meinst: in dem Drachen-Bauch seien vier oder fünf Leute gehockt. Nein: hunderte von Leuten füllten den engen Bauch, zusammengepfercht auf kleinen Sitzen, selbst für einen Winzling wie mich zu schmal. Die Großnasen neben mir, so konnte ich beobachten, falteten ihre großen Füße kreuz und quer, ächzten und schwitzten. Der Gestank war unmäßig. Nach einiger Zeit, als es draußen finster wurde, versuchten die meisten Großnasen, im Sitzen zu schlafen, was naturgemäß unangenehm ist und eigentlich nicht geht. Sie fuhren sich gegenseitig in Schlafbewegungen ins Gesicht, bohrten einander in der Nase, traten sich mit Füßen.

Ich, lieber Dji-gu, machte vor Angst kein Auge zu, und es war im Großen und Ganzen sehr langweilig. Zur Unterhaltung brachten die Fliegenden Servier-Zofen (Kleine Frau Chung war nicht dabei; das hätte mir noch gefehlt) irgendetwas zum Essen und zum Trinken. Ich aß zwar, schmeckte aber vor Angst nichts. Mein Nachbar, ein ziemlich langer Mensch mit roter Nase und fast ebenso rotem Bart, der die ganze Fahrt über bei jeder Gelegenheit meckernd lachte, sagte aber, daß das Essen eine Schande für sein Vaterland sei. In anderen Flug-Drachen sei das Essen viel, viel besser, da rentiere es sich förmlich, die Strapazen des Fluges auf sich zu nehmen, um in den Genuß des Essens zu kommen.

Wenn Du an *Fliegen* denkst, denkst Du an den Vogel, der über Bergen und Tälern schwebt und die Welt von oben betrachtet. Diese Vorstellung ist weit gefehlt fürs Fliegen mit dem Eisernen-Flug-Drachen. Erstens bist Du ja umhüllt von Eisen und sozusagen im Bauch des Drachens. Da sieht man nicht hinaus. Aber immerhin sind kleine Fenster angebracht. Ich hatte das Glück, einen Sitz direkt neben einem solchen Fenster oder besser Guckloch zugeteilt zu bekommen. Zunächst war es auch ganz unterhaltsam. Ich schaute hinaus, der Drache begann sich zu bewegen, brüllte auf, lief schneller und schneller, die Bäume draußen schossen schräg vorbei wie schnell weggezogen. Ich wurde von der Gewalt, wie sich der Drache wild aufbäumte, in den Sitz gedrückt. Dann tauchte die Landschaft unten plötzlich wie ein Brett weg; jetzt wird es interessant, dachte ich mir; die Häuser und Bäume gerieten zur Größe von Spielzeug – es sah putzig aus, und für Momente vergaß ich meine Angst. Aber dann stieß der Drache durch die Wolken. »Halt! halt!« wollte ich schreien, daß er nicht womöglich am Himmelsgewölbe anstößt... er stieß aber nicht an. (Die Servier-Zofe, die meine Angst bemerkte, nahm mich später einmal mit nach vorn in den Kopf des Drachen. Es ist kein wirklicher Drache! mußt Du wissen. Es ist nur Nachahmung eines solchen, fliegt aber trotzdem. Vorn im Drachenkopf sitzt bequem ein Lenker. Er lachte über meine Bedenken wegen des Himmelsgewölbes und versicherte, daß er sorgfältig den nötigen Abstand einhalten werde.)

Also stießen wir durch die Wolken – und dann war gar nichts mehr zu sehen außer weißer Einöde. Sehr langweilig, wie gesagt.

*

Nun, wenn Du denkst, ich sei in der Stadt »Großer Apfel« angekommen wie unter Räder geraten, irrst Du Dich. Welchen Eindruck mir die Stadt gemacht hat, habe ich geschildert. Meine Seele war wie von einer Rakete in die Luft geschossen. Dazu kam, daß – dies für Deine Begriffe verständlich zu erklären, ist unmöglich; das hängt nicht damit zusammen, daß ich Deinen Verstand für gering achte, nein, um alles in der Welt, denke das nicht; es ist, weil keiner in unserer Zeitheimat es verstünde; ich verstehe es auch nicht – daß sich die *Zeit* durch den rasenden Flug mit dem Eisen-Drachen verwirrt. Statt der neun Stunden, die ich dahinflog, waren, als ich ankam, nur zwei Stunden vergangen. Verstehe das, wer mag. Es war aber so. Damit verwirren sich aber Deine Gedärme und Körpersäfte, Du wirst müde am hellen

Tag und wachst mitten in der Nacht völlig ausgeschlafen auf.
Erst nach einiger Zeit kommt der Geist zur Ruhe.

Dies nebenbei.

Zurück zu meiner Ankunft: ich hatte von Lip-tsing aus, weil ich diesmal vorsichtiger sein wollte, Herrn Shi-shmi an die mir angegebene Adresse eine Nachricht gesandt. Er holte mich vom Eisen-Drachen ab, und ich kann Dir nicht sagen, wie herzlich und freundlich unser Wiedersehen war.

Wir fuhren in einem A-tao-Wagen durch die unvorstellbar prächtigen Straßen des »Großen Apfels« in die Wohnung Herrn Shi-shmis. (Er bewohnt die Wohnung eines Kollegen von ihm, der seinerseits in der Heimat Shi-shmis, also in Min-chen, für gewisse Zeit seinen Studien obliegt.)

Wir setzten uns. Die Nachmittagssonne schien in die berghoch in einem wolkenkratzenden Haus gelegene Wohnung. Herr Shi-shmi wiederholte immer wieder: »Was für eine Freude, was für eine Freude!«

Dann holte er zwei große braune Brandopfer Da-wing-do hervor, für jeden von uns eine, und danach öffnete er – Du errätst es – eine Flasche Mo-te-shang-dong.

*

Dabei ist aber nicht alles Gold, was glänzt. Herr Shi-shmi und einige seiner Freunde, die im »Großen Apfel« wohnen, haben mich darauf aufmerksam gemacht. Ich solle mich nicht vom Zauber des Irrsinns, der den »Großen Apfel« durchweht, oder von der Fülle der Verfügbarkeit täuschen lassen, die diese Stadt mit keiner anderen teilt. Die Stadt sei auch ein unterirdisches Pulverfaß, und das könne jeden Augenblick losgehen. Die Reichen seien so unermeßlich reich, daß man es sich gar nicht vorstellen kann, und die Armen ebenso arm, und insbesondere unvorstellbar sei der Abstand zwischen arm und reich.

In der Tat sieht man viele Bettler und Krüppel, und an manchen Ecken prallt man zurück vor Dreck und Elend. Dazu komme, sagen die Freunde von Herrn Shi-shmi, daß sich die Stadt ununterbrochen um sich selber drehe. Wo heute vornehme Viertel seien, hausten morgen die Elenden mit ihrer Kinderschar und den Ratten – und seltsamerweise sogar umgekehrt, weil die Häuser, selbst die größten, man könne fast sagen: herumgeschoben werden wie Steine auf dem Spielbrett.

Das Hauptproblem aber seien die verschiedenen Menschensorten. Sie vertragen sich nicht. Sie versuchen, sich gegenseitig zu zerdrücken. Sie nehmen sich, wenn es geht, gegenseitig die Luft weg. Die verschiedenen Sorten wohnen zwar mehr oder weniger in abgetrennten Stadtvierteln, aber in der Mitte der Stadt sprudeln sie doch durcheinander, und nicht selten kracht es da. Den verschiedenen Menschensorten wird auch verschiedene Achtung entgegengebracht – sogar, sehr seltsam – von den jeweiligen selber. Vielleicht ist das das ärgste Problem.

Ich habe von diesen Menschensorten schon kurz berichtet: es gibt die »Weißen«, das sind die eigentlichen Großnasen; sie halten sich für die Gründer und Herrscher der Stadt, und keiner der Reich-Reichen gehört nicht zu diesen. Dann gibt es die »Roten«, das sind die Ureinwohner gewesen, bevor die anderen hereingedrückt haben; man verachtet sie, weil sie angeblich so blöd waren, ihr Land den schlauen »Weißen« zu verkaufen. Dann gibt es die »Gelben« – lach nicht: das sind sozusagen wir; sie werden als fleißig und tüchtig gefürchtet und nicht ungern von den andern verprügelt. Dann gibt es die »Braunen«, die kommen von den südlichen Inseln und sind meist sehr arm und frieren, haben viele Kinder und kein Geld, wohl aber lange, gefürchtete Messer. Und zum Schluß die »Schwarzen«, das sind die ehemaligen Sklaven, die, nachdem man sie freigelassen hat, aufmüpfig werden.

Warum können die verschiedenen Menschensorten nicht in Frieden nebeneinander leben? Sie können es nicht. Und der Grund ist: sie können sich nicht riechen. Die Schwarzen gelten bei den anderen als Schweinigel, die Roten als faul, die Gelben als heimtückisch, die Braunen als gewalttätig, die Weißen als arrogant. Und solange sie sich nicht riechen können, vermischen sie sich nicht, und die Vermischung wäre, so sehe ich es, die einzige Lösung des Problems. Aber sie vermischen sich nicht, sie bleiben bei ihrer wechselseitigen Mißachtung, und so wird eines Tages der Kessel doch überkochen. Schade. Aber ich werde bis dahin nicht mehr hier sein.

VII

Die ersten Tage in der Stadt »Großer Apfel« benutzte ich, um staunend herumzustreifen.

Ich kann nur nochmals wiederholen: Du machst Dir keinen Begriff. Wenn ich sage: hier wälzen sich Legionen von Großnasen in den Straßen, eilen geschäftig durch Häuser aus Stein und Glas hin und her und himmelhoch hinauf und hinunter, hier quetschen sich Myriaden in unterirdische Eisenschläuche, die sie blitzschnell über weite Entfernungen hin befördern, so meine ich nicht: Großnase wie Großnase. Nein: die Spielarten der Großnasen hier sind bunt wie der aufgefächerte Schwanz eines Pfaues. Es gibt hellweiße, dunkelweiße, braune, schwarze, rote Großnasen, alles durcheinander, solche mit pechfarbenen, mit gelben, mit weißen, mit roten Haaren, sogar blaue und grüne Haare habe ich schon gesehen. Die Kleidung ist oft grell. Alle bewegen sich meist rasch, aber vermutlich sinnlos.

Die Kaufläden, oft von übergroßen Ausmaßen, sind voll von erlesenen Dingen, ganz unvorstellbar sind die Kaskaden magnetischen, bunten Lichtes, die sich, kaum daß es dunkel wird, über die himmelhohen Fassaden der wolkenkratzenden Häuser ergießen, so daß man schon bei ihrem Anblick schwindlig wird.

Schon am ersten Morgen nahm mich Herr Shi-shmi zum Frühstück in einen Palast in der Fünften Großstraße mit. (Es gibt so viele Straßen, daß man sie nur durch Zahlen auseinanderhalten kann.) Als wir den Palast betraten, eigentlich ein Turm-Palast oder Palast-Turm, sozusagen Dutzende von Palästen übereinander, stockte mir, obwohl ich vom Abend vorher schon einiges gewohnt war, der Atem:

Eine Halle, hoch wie der Himmel, ganz aus rosarotem

Marmor, alles vergoldet, was sich nur dazu eignet, flirrende Wände von spiegelndem Glas, ein Meer von Palmen und anderen Pflanzen, und – der Gipfel der Pracht – ein Wasserfall, der von Turmhöhe *in* der Halle herabstürzte und so sinnreich angelegt war, daß niemand, der dort herumgeht, bespritzt wird. Ja! es ist unglaublich. Ich wage gar nicht daran zu denken, was das gekostet hat.

Wir setzten uns an den Fuß des Wasserfalls an einen der Tische, die dort standen. Es war angenehm kühl. Die Stadt »Großer Apfel« stöhnt nämlich im Sommer unter Hitze. Wir frühstückten. Eine tiefschwarze Großnase (eher: Plattnase) mit stark gekrausten Haaren, aber sehr freundlich, brachte uns gegen Geld das Gewünschte, und ich fühlte mich wohl. Ich erzählte Herrn Shi-shmi von meinem Geschick und von den bedauerlichen Ereignissen, die mich veranlaßten, in die Welt der Großnasen zu fliehen.

Wir kamen dann darauf zu sprechen, daß ich diesmal erst zurückkehren könne, wenn die Dinge in unserer Zeitheimat sich wieder in die himmelgewollte Ordnung begeben haben. Wann das sei, müsse ich herausfinden. Ich verhehlte nicht, daß er, Geprüfter Gelehrter Shi-shmi, meine große Hoffnung dahingehend sei.

Herr Shi-shmi verzog etwas sein Gesicht und wiegte den Kopf hin und her: nach tausend Jahren festzustellen, wann genau der intrigante Kanzler La-du-tsi abgesetzt worden ist, sagte er, werde sehr schwer sein. Er, Shi-shmi, wisse davon gar nichts, denn er habe sich, obwohl Geprüfter Gelehrter der Historiographie, nie mit der Geschichte des Reiches der Mitte befaßt. Sein Spezialgebiet sei die Geschichte des Reiches Lom, und das habe nie etwas mit dem Reich der Mitte zu tun gehabt. Aber es müsse wohl, meinte Herr Shi-shmi, ein ganz spezielles Buch geben, das die Geschichte des Reiches der Mitte ausführlich genug behandle. Die Großnasen schreiben Unmassen von Büchern, und es gebe über jeden Gegenstand ein Buch, warum nicht über meine Zeit-Heimat.

Um es vorwegzunehmen: wir fanden so ein Buch nicht. Wir waren sogar eigens in eine andere Stadt gefahren, in die Residenzstadt des Beherrschers des Reiches Ju-xä, wo sich die dem Vernehmen nach größte Bibliothek der Welt befindet. Auch dort fanden wir das Buch nicht. Nebenbei gesagt: es war mir schleierhaft, wie man in der größten Bibliothek der Welt – und wenn die Großnasen von Ju-xä sagen: die *größte,* dann kannst Du Gift drauf nehmen, daß das größer als groß ist, wie überhaupt das Lieblingswort der hiesigen Großnase *groß* ist, ich sollte sie deshalb eigentlich Groß-Großnasen nennen – wie man also in der größten Bibliothek der Welt *ein* bestimmtes Buch finden soll, zumal kein einziges Buch dort zu sehen war. Herr Shi-shmi erledigte das für mich. *Ich* wäre nicht zurechtgekommen.

Wir fuhren mit dem fahrbaren Eisenschlauch in jene Stadt, und Herr Shi-shmi machte mich, bevor wir ausstiegen, lächelnd darauf aufmerksam, daß das Ankunftshaus des Eisenschlauches das größte der Welt sei. Es sei quasi so groß, daß man die Weltkugel dort in natürlicher Größe unterbringen könne.

Ich war also gefaßt. Dennoch war ich von der Größe überwältigt – das Dach schien himmelweit entfernt, es hätte mich nicht gewundert, wenn Wolkenbänke durch den Raum gezogen wären. Aber – Herr Shi-shmi lächelte wieder – das war noch gar nicht der wirklich ganz große Saal. Den fand ich daneben – eine Ameise, wenn sie den Kiu-lun-Felsen von unten betrachtet, muß ein ähnliches Gefühl haben, wie ich es gehabt habe, als ich zur Decke dieses Saales aufblickte. –

Aber das Buch gefunden haben wir nicht.

*

Wenn ich die Großnasen-Welt in der Stadt »Großer Apfel« vollständig schildern soll, so darf eine Schilderung dessen, was dort gegessen und getrunken wird, nicht fehlen. (Ich hoffe, Du hast schon gegessen und verdaut, bevor Du das liest. Sonst warte mit der Lektüre.)

Ich habe Dir schon früher geschrieben, daß die Großnasen die hervorragende Kunst verstehen, *kalt* zu machen. *Warm* zu machen ist ja keine Zauberei, man braucht nur Feuer zu schüren. Aber wie macht man *kalt?* Ich will Dich nicht mit Einzelheiten langweilen, gestehe auch, daß ich selber die Vorgänge nicht ganz verstehe. Jedenfalls: es ist so. Und die Großnasen im »Großen Apfel« schwelgen förmlich darin, alles kalt zu machen. Sie haben Geräte, mittels derer sie selbst im heißesten Sommer kleine Eisstücke herstellen. Das schmilzt zwar schnell, aber genauso schnell haben sie schon wieder neue Eisstückchen produziert. Sie schütten Dir überall, wo es nur irgend angeht, händevoll so kleine Eisstückchen in Glas und Becher, du kannst dich kaum dessen erwehren. Einmal bestellte ich in einer Abend-Schänke (»Ba« nennt man es hier) ein Glas Mo-te-shang-dong. Bums, schon war eine Handvoll Eiswürfel im Glas. Ich krächzte den Ba-Herrn an: »Hohes Wolkengebirge an Weisheit und Verstand, oh du Vater der Väter aller Ba-Herren, bitte reiche mir ein anderes Glas Mo-te-shang-dong – ohne Eis!« Er schaute finster, nahm dann den mißhandelten Mo-te-shang-dong weg und gab mir ein anderes Glas. Einen Augenblick überflog Gedankenlosigkeit sein Haupt, und schon zuckte seine Faust gegen die große Schüssel mit Eisstückchen, um mir doch eine Handvoll ins Glas zu schütten. Ich schrie auf. »Pardon«, sagte er, schaute noch mißmutiger.

So trank ich ein Glas, dann noch eins, auch dies ohne Eis. Beim dritten Glas ohne Eis bemerkte ich, daß mich nicht nur der Ba-Herr, sondern auch seine beiden Kollegen und nach und nach alle anderen Besucher der Schänke fassungslos anstarrten, und als ich das vierte Glas ohne Eis bestellte, konnte das der Ba-Herr nicht mehr mit ansehen, er warf eine Handvoll Eiswürfel in ein anderes Glas und stellte es – wenigstens – neben meinen eislosen Mo-te-shang-dong.

Aber das Hauptgetränk der Leute des Reiches Ju-xä ist nicht Mo-te-shang-dong, sondern ein anderes, unbeschreiblich scheußliches Getränk. Ich habe es einmal versucht: ich kann mir vorstellen, daß ausgepreßter Hund mit Zucker so schmeckt. Es ist auch so braun. Herrn Shi-shmi, der das Getränk auch nicht mag, fielen noch andere Geschmacksähnlichkeiten ein, die ich aber unerwähnt lasse, weil ich die Schicklichkeit nicht verletzen will.

Und förmlich schwelgerisch laben sie sich an Rindsmilch. Sie fließt, bildlich gesprochen, die Fassaden der wolkenkratzenden Häuser herunter, an denen die Ju-xä-Leute dann lekken.

Was die feste Nahrung anbetrifft, so ist etwas am allerbeliebtesten, was man eigentlich gar nicht als Gericht bezeichnen kann: es sind etwa faustgroße Bälle aus klebrigem Teig (wenn man sie zu Boden wirft, springen sie wieder in die Höhe), die in der Mitte auseinandergeschnitten werden, und dazwischen kommt eine Scheibe einer vollkommen geschmacksfreien, leicht wässrigen roten Frucht und ein grünes Blatt und einige Ringe roher (!) Zwiebeln und ein – leider kann ich nichts anderes zum Vergleich heranziehen – Stück gehacktes Fleisch in Form und Farbe eines zertretenen Hundeexkrements. Auch das Fleisch (ich habe es einmal probiert) schmeckt nach absolut gar nichts, wird aber mit einer dicken roten Sauce garniert, die ihrerseits auch nach gar nichts schmeckt. Man nennt diese Bälle Hambung-gang, offenbar nach einer großen Stadt im Reiche des Ko. Überhaupt scheinen mir die Leute von Ju-xä allen Scharfsinn darauf zu verwenden, ihre Speisen nach nichts schmecken zu lassen. Die erwähnte rote Sauce ist ihnen dabei behilflich. Sie heißt Ke-tschu und ist quasi das Wappen des Reiches Ju-xä. Ich würde mich nicht wundern, wenn eines Tages – ich hoffe aber nicht so lang hier bleiben zu müssen – dieses Ke-tschu das ganze Land Ju-xä erstickt. Offenbar werden die Leute aber dick und fett davon, denn nirgendwo, selbst nicht in Lip-tsing, habe ich so viele, so unbeschreiblich dicke Menschen gesehen, wie in der Stadt »Großer Apfel«.

Es mag sein, daß diese unbeschreiblichen Fettkugeln, die sich durch die schönen Straßen der Stadt wälzen, auch auf die Vorliebe der Leute von Ju-xä für den Zucker herrührt. Wenn nicht Zwiebeln üppig über die Speisen gestreut werden, sind sie voll von Zucker. Es gibt Läden, da türmen sich Berge von Zuckerzeug in erschreckendsten Farben. Meist klebt das Zeug an den Zähnen, und wie mit starken Fäden verklebt der Mund. Es gibt auch Kuchen. Wenn dir einer auf den Fuß fällt, hinkst du vier Tage. Aber die Großnasen essen sie. Ich stelle mir vor, daß dadurch ihr Magen bis an die unteren Grenzen des Leibes absinkt. Vielleicht erklärt sich so ihr stets leicht schlurfender Gang.

Und dann: mit großer Vorsicht und etwas verschmitztem Lächeln führte mich Herr Shi-shmi in ein bestimmtes Stadtviertel des »Großen Apfels«. Ich war wie versteinert. Wären die Leute dort nicht durchwegs in großnäsischer Weise gekleidet gewesen, hätte ich gemeint, ich sei im Reich der Mitte. Ja – lachte Herr Shi-shmi, es gibt viele unserer Landsleute im »Großen Apfel«, überhaupt in Ju-xä. Sie nennen sich hier Tschai-ni. Ich redete mit einigen... aber ich verstand sie kaum. Ob es daran lag, daß sich unsere Sprache in den tausend Jahren so verändert hat, oder ob ich unglücklicherweise an Leute aus dem Süden geraten bin, weiß ich nicht. Wir gingen dorthin zum Essen – aber es kam mir nichts Heimatliches an. Die Rote Sauce verbreitete sich selbst hier. Ich muß sagen, ich fühlte mich in dieser Welt noch weniger wohl als in der Welt der Großnasen allgemein.

*

Ich blieb fast einen Mond lang in der Stadt »Großer Apfel«. Ich lernte recht rasch die Sprache der Leute soweit, daß ich mich einigermaßen verständigen konnte, und ich studierte die Gegebenheiten.

Danach kehrte ich mit der fliegenden Drachen-Imitation zurück, und zwar nach Min-chen. Und so bin ich also wieder hier in dem mir geläufigen Land und fühle mich fast heimatlich. Aber es drängt mich, das aufzuschreiben, was ich im Reich Ju-xä als das erfahren habe, was mir als das Wichtigste erschien, was Aufschluß darüber geben kann, was diese ferne, zukünftige Welt im Innersten zusammenhält oder vielmehr: vom Innersten auseinandertreibt.

Ich halte dies für so wichtig, daß ich es mit roter Tinte schreibe.

*

Das Reich Ju-xä ist das mächtigste Reich der Welt, seit etwa hundert Jahren. (Man nennt es auch, wie ich Dir damals geschrieben habe, Am-mei-ka; aber Ju-xä ist genauer.) Es hat mehr Geld als alle übrigen Reiche miteinander, und wenn im Reiche Ju-xä ein Stein zu Boden fällt, donnert es überall jenseits des Meeres. Das Reich Ju-xä ist das schönste, das mächtigste, das glänzendste, und alle Menschen im Reiche Ju-xä sind frei und glücklich.

Sagen sie.

Das Reich Ju-xä – und da es das Vorbild für alle anderen ist, gilt das, was dort zu beobachten ist, auch für alle anderen – ist ein verkommener Stall. Ein hartes Wort? Einstmals, vor zweihundert Jahren, war es ein Hort der Freiheit, und man hat dort etwas sehr Edles erfunden, das »die Volksherrschaft« heißt. Es sollen, so hieß es in einer überaus edlen Erklärung, alle gleich sein vor dem Gesetz, und es solle nichts im Staat geschehen, was den Menschen zuwider ist.

Aber die allgemeine Freiheit ist ein zweischneidiges Schwert. Sie bringt leider auch die Freiheit mit sich, Unfug zu tun. Sie zieht nach sich die eigentlichen Teufel, die die Welt vernichten werden: die feinen, in graues Tuch gekleideten Kaufherren. Ihr Gott ist der Profit. Der Profit geht über alles. Dem Profit muß alles weichen. Um Profit zu erzielen, ist jedes Mittel recht. Dem Profit zu opfern ist so gut wie dem Gotte zu opfern.

Diese Freiheit, deren sich das Reich Ju-xä rühmt und deren sich in ihrer Nachahmung fast alle Reiche rühmen, hat sich in einem stählernen Netz des Kommerz und des Profits gefangen. Die Kaufherren haben die Reiche, die Regierungen, die Mandarine gekauft, und das Volk merkt es nicht, ja: nicht einmal die Reiche, die Regierungen und die Mandarine merken es. Wie nennt man das, Freund Dji-gu? Man nennt es Korruption.

Ab und zu taucht – das ist dann ein Unfall, natürlich – eine kleine Spitze des Korruptions-Eisberges auf: zum Beispiel, als einmal, vor Jahren, der Allherrscher des Reiches Ju-xä ermordet wurde. Da hat, unwillentlich freilich, die Korruption fast den Schleier vor dem Gesicht verloren, aber schneller, als man schauen konnte, wurde die Sache vertuscht. Der Allherrscher war noch nicht beerdigt, da war der Mörder schon ermordet, und dann ermordete man den Mörders-Mörder, und dann die Zeugen und so fort, bis alles wieder unter der Decke versteckt war, und die Korruption des Profits weiter an ihren Netzen wirken konnte.

Die Mächtigen der Reiche bilden sich nur ein, mächtig zu sein. (Oder: vielleicht wissen sie's, geben es nur nicht zu; freilich, sind ja gekauft.) Die Mächtigen *verwalten* allenfalls, *regieren* tun die Zieher der Fäden dahinter.

Hast Du schon einmal beobachtet, teurer Dji-gu, daß alles auf der Welt dazu neigt, stets und stets komplizierter zu werden? Ich habe das wohl beobachtet. Nichts wird einfacher, alles wird komplizierter, sobald sich etwas verändert. Selbst wir in unserer Zeitheimat im Reich der Mitte, die wir bemüht sind, jede Veränderung zu vermeiden, müssen feststellen, daß Komplizierungen eingetreten sind. Denke an die einfachen Formen in den Reichen der Vorzeit, wie sie uns zur Kenntnis in den Schriften überliefert sind, und vergleiche damit, wie kompliziert dagegen unser jetziges (ich meine: unserer Zeitheimat) Staatsgefüge ist. Und erst, wenn Du bedenkst, daß die Großnasen nahezu krankhaft darauf versessen sind, alles ständig zu verändern! Es ist nicht verwunderlich, daß ihnen ihre selbsthervorgerufenen Komplikationen über den Kopf wachsen. Und diese Komplikationen sind wie ein dichter Wald, ein undurchdringliches Gestrüpp, in dem sich jede Schurkerei verbergen kann. Die großen Schurkereien bleiben ungesühnt. Freilich: der Dieb hat immer einen Vorsprung. Die Polizei läuft immer nur hinterher.

Herr Shi-shmi seufzt über solche Dinge, wenn wir davon reden. Er hält den verderblichen Prozeß – wohl mit Recht – für nicht umkehrbar. Er hat aufgegeben, sagt er, sich darüber aufzuregen. Er wundere sich nur noch. Und er befasse sich lieber mit der Wissenschaft von der Geschichte.

*

Wie bin ich froh, Dji-gu, daß ich nicht in dieser Welt bleiben muß. Wenn ich nur endlich wüßte, wann der intrigante Kanzler La-du-tsi von der Platte geputzt wird! Daß ich zurückkehren und meine geliebte Shiao-shiao in die Arme schließen kann.

Ich schreibe von hier ab wieder mit schwarzer Tinte weiter.

*

Soll ich Dir verheimlichen, was mir in den Tagen in der Stadt »Großer Apfel« sonst noch begegnet ist? Nein. Ich verheimliche Dir nichts.

Es war gegen Ende meines Aufenthalts. Herr Shi-shmi machte einige Besuche bei Kollegen, um sich zu verabschieden, und ich ging allein, um zu frühstücken, in eines der großen Hong-tel (das ist hier so üblich), und diesmal geriet ich in ein Hong-tel, das ich bisher noch nicht betreten hatte, es hat den seltsamen Namen »Kaiserreich der Radieschen«, und ich hatte das Glück, die Bekanntschaft zweier Damen zu machen, von denen die eine über die Maßen anziehend war. Sie hieß...

(Anm. des Herausgebers: an dieser Stelle fehlt eine oder fehlen mehrere Manuskriptseiten. Die Zeilen, mit denen die nächste erhaltene Seite oben beginnt, sind offensichtlich die letzten Zeilen eines Gedichts. Ob es sich um zitierte Verse handelt oder um solche von Kao-tais eigener Hand, war nicht festzustellen.)

»... Daß unverdrossen auch das grüne Kleid,
Das mir gehört und nicht gehört,
Und eine Perlenschnur,
Die dir gehört, nicht dir gehört,
Ich sag nichts als
In Ewigkeit.«

*

In den eisernen Flugdrachen gibt es drei Abteilungen. Die Großnasen lieben überhaupt *Abteilungen*. Sie teilen alles ab, namentlich sich selber. Nun gut, auch wir machen das, und vielleicht sogar rigoroser. Es fällt nur auf, daß die Großnasen die Abteilungen genau bezeichnen müssen. Wir, im Reich der Mitte unserer Zeitheimat, wissen sofort, ob wir einen Mandarin oder einen Bauern vor uns haben. Nicht so hier. Das kommt davon, daß dem Buchstaben nach, worauf sie sich viel zugutehalten, *alle Menschen gleich sind.* Sind es aber logischerweise nicht, geht ja auch gar nicht. Also *tun* sie hier nur so, als ob alle einander gleich seien, und damit sie sich doch über die Unterschiede nicht irren, müssen sie die Abteilungen bezeichnen.

So gibt es also auch in dem eisernen Flugdrachen Abteilungen, und zwar drei: eine für äußerst wichtige Passagiere, eine für nicht ganz so wichtige Passagiere, und eine für unwichtige Passagiere. Da, so habe ich den Eindruck, über die Wichtigkeit ausschließlich das Geld entscheidet, kostet es je mehr, in desto höherer Abteilung man reisen will. Mein Geld, das mir so wohltätig wie zufällig buchstäblich zugeflogen ist, schmolz in der Stadt »Großer Apfel« sehr rasch zusammen, denn »Großer Apfel« ist ein teures Pflaster, und man hat den Eindruck, man sät das Geld ständig mit vollen Händen aus, ohne daß allerdings etwas zu ernten wäre. Gut – einen gewissen Vorrat bewahrte ich schon auf, aber um haushälterisch zu sein, wählte ich die unterste Abteilung der Flugdrachen-Klassen. (Ich flog alleine zurück, denn Herr Shi-shmi mußte noch aus irgendwelchen Gründen, ich glaube, um einen Vetter zu besuchen, in eine andere Stadt des Reiches Ju-xä fahren, welche Stadt mich nicht interessierte. Wir wollen uns im Herbst wieder in Lip-tsing treffen.)

Ich kaufte mir also ein Berechtigungs-Zertifikat für die unterste Klasse, und da lachte mir wieder einmal das Glück, obwohl es sich erst wie ein Mißgeschick gab:

Als ich den Flugdrachen betrat und mein Zertifikat vorwies und mich die Luft-Zofe zu dem mir zustehenden Sitzplatz führte, war festzustellen, daß dort schon eine Dame saß. Es hat sich um eine der nach meiner Beobachtung typischen Damen des Reiches Ju-xä gehandelt: sie war weiß und dick, hatte sehr viele Zähne und gefärbte Lippen, die Haare blau, und sie kaute an etwas, auch während sie sprach.

Die Luft-Zofe verglich die zwei Zertifikate: beide lauteten auf den gleichen Sitzplatz. Offenbar war bei der Ausstellung der Zertifikate ein Irrtum vorgefallen, und man hatte den gleichen Sitzplatz zweimal vergeben.

Die Luft-Zofe machte ein Gesicht, so daß sie im Augenblick nur schwer von einer Idiotin zu unterscheiden war, die zahnreiche Ju-xä-Dame erhob sofort ein großes Geschrei: daß sie keinesfalls von ihrem Platz weichen wolle, schon gar nicht wegen eines krummbeinigen Jap-sen wie mich. (Sie verwechselte mich mit einem östlichen Insel-Zwerg.) Ich verlor meine höfliche Fassung nicht, konnte aber nicht unterdrücken zu sagen: »Oh Sonne des Goldenen Apfels, ich würde Ihnen die Krätze ins Gesicht wünschen, wenn ich nicht wüßte, daß Sie dadurch eher schöner würden –« Da sauste eine andere, offenbar höherrangige Luft-Zofe heran, zischelte mit der einen, man bat mich zur Seite. Es sei zu dumm, sagte die zweite Luft-Zofe, ein bedauerlicher Irrtum. Aber der eiserne Drache sei praktisch zum Bersten voll, kein anderer Sitzplatz frei. (Die vielzähnige Blauhaarige hinten zeterte noch immer. Eine dritte Luft-Zofe versuchte sie nun mit Süßigkeiten aufzufüllen und so zu beruhigen.)

Ich befürchtete schon, wieder aussteigen zu müssen, aber da sagte ein beruhigender Luft-Offizier, der dann dazukam, daß man mich, ohne daß ich einen Aufpreis zu bezahlen habe, in die Höchst-Wichtige-Rangklasse setze. Ob ich damit einverstanden sei?

Dreimal darfst Du raten, teurer Dji-gu.

So saß ich also in der Abteilung für Ungeheuer Wichtige Leute, in der die Sitze viel breiter und bequemer sind, auch das Essen besser, und die Luft-Zofe kommt alle Augenblicke gerannt und fragt, ob man noch dieses will oder jenes, und es gab Mo-te-shang-dong! Und so kam ich zur Bekanntschaft eines Mannes, der zu den ungeheuer wichtigsten Leuten unter den Großnasen gehört – so jedenfalls seine Äußerung – und dem ich den Einblick in etwas verdanke, was mir bisher verborgen geblieben ist, sowohl während meines ersten als auch bei meinem jetzigen Aufenthalt bisher, und was offenbar das ungeheuer wichtigste Ding in der Welt der Großnasen ist: der Spong.

Fung-si-bang hieß der Mensch, der in der Ungeheuer-Wichtige-Leute-Abteilung des Flugdrachen also zufällig neben mir zu sitzen kam, oder besser gesagt, denn ich bin ja gegen ihn nur ein unbedeutender und zudem lediglich chinesischer Schrumpf-Gnom: ich kam neben ihm zu sitzen. Fung-si-bang also, und er hatte ein Gesicht, das stark einem Kleinkinder-Gesäß ähnelte.

Herr Fung-si-bang fing sogleich zu reden an, und ich merkte sofort, daß er davon ausgeht, ich kenne ihn selbstverständlich. Er redete von Dingen, die mir so unverständlich waren, daß ich zunächst meinte, er rede irgendwie von Mäusen oder er sei mondsüchtig. Erst allmählich verstand ich, daß er vom *Spong* redete. Als ich ihm, ungefähr auf der Hälfte des Fluges, erklärte, daß ich, ein verabscheuenswürdiger Ausbund an Unwissenheit, nicht die mindeste Ahnung vom Spong habe, verstummte er, schüttelte mehr mitleidig als erstaunt seinen mit dem Kleinkindergesäß behafteten Kopf und versuchte dann etwa zwei Stunden lang, mir zu erklären, was das *Spong* ist. Ich verstand es nicht. Versuche Du, einem Fisch zu erklären, was ein Zaumzeug ist. Vor ungefähr dieser Schwierigkeit stand Herr Fung-si-bang, und er verzweifelte fast. Nur soviel verstand ich, daß das Spong – nach Meinung Herrn Fung-si-bangs – das Allerwichtigste auf der Welt und eine äußerst ernstzunehmende Sache sei.

Der Eisendrache flog, ich kannte das ja schon, langweilig über Land und Meer, meist Meer, und steuerte eine Stadt an, die sich einbildet, der »Kleine Große Apfel« zu sein. Aber, sage ich Dir, wer den wahren »Großen Apfel« kennt, muß sagen: keine Rede davon. Aber nun gut, wenn es die Leute freut.

Herr Fung-si-bang war richtig erfreut, als ich ihm dort erzählte, daß ich einen anderen Flugdrachen nach Min-chen besteigen wolle, denn auch er reiste nach Min-chen, um dann weiter – da wirst Du staunen – in jene haarsträubende Gegend namens Ki-tsi-bü zu eilen, wo er wohnt. Du erinnerst Dich an meine Schilderung vom aberwitzigen Schneewälzen? Als Herr Fung-si-bang den Ort Ki-tsi-bü erwähnte, lachte ich und erzählte von meinen Erlebnissen dort. Aber Herr Fung-si-bang lachte gar nicht, sondern erklärte: eben dieses Schneewälzen gehöre zum *Spong*.

(Ich kann mir nicht vorstellen, daß das die Welt der Großnasen innen zusammenhält.)

Und dann lud er mich ein, ihn in Ki-tsi-bü zu besuchen. Sein dem Kleinkindergesäß ähnliches Gesicht strahlte dabei die Gewißheit aus, daß er mir mit dieser Einladung eine Gnade erweise, um die der Rest der Menschheit mich beneiden müsse.

Warum Herr Fung-si-bang ausgerechnet an mir hier unbedeutenden Wicht einen Narren gefressen hat, leuchtet mir nicht ganz ein. Vielleicht reizt ihn, jemanden zu seinem Spong zu bekehren Gelegenheit zu haben. Ich habe fest vor hinzufahren, zumal, das hat mir Herr Fung-si-bang versichert, im Sommer dort kein Schnee liegt.

VIII

Nun sind, seit ich aus der Stadt »Großer Apfel« zurückgekehrt bin, schon wieder viele Tage vergangen, es naht das Ende des achten Mondes in der Zählung der Großnasen, und ich habe Dinge erlebt, die ich nicht für möglich gehalten habe.

Ich wollte zunächst nach Ki-tsi-bü fahren, um die Zeit zu überbrücken, bis Freund Shi-shmi auch aus Ju-xä zurückkommt, und um von Herrn Fung-si-bang abschließend zu erfahren, was es mit dem Spong auf sich hat, aber dann kam alles ganz anders.

In der Welt der Großnasen bist du mehr, weit mehr noch als bei uns, ohne Geld ein Nichts. Weniger noch: du kommst dir unablässig überflüssig vor. Du hast das Gefühl, daß du jetzt und jetzt über den Rand hinausgedrückt wirst. Du hast das Gefühl, daß du diejenigen, die Geld haben, störst. Diejenigen, die Geld haben, pumpen die Luft um sich herum auf, und du wirst an die Wand gequetscht. Ich habe es erlebt, als ich Ersatz-Zwerg im Circus war. Es ist grauenhaft, kein Geld zu haben, und wenig Geld zu haben, ist so, als sei man ständig schmutzig. Wenn mir nicht, wie Du in den vorausgegangenen Seiten gelesen hast – sofern Du mir dereinst die Ehre antun wirst, Dein wertvolles Auge auf dieses nichtswürdige Geschreibsel zu richten – ab und zu das Glück gelacht hätte, wäre ich wahrscheinlich zugrundegegangen. Aber ich kann mich natürlich nicht darauf verlassen, daß mich dieses lachende Glück auch in Zukunft regelmäßig mit Geld segnet. Ich habe deshalb mit Freund Shi-shmi ein Abkommen getroffen. Ich kann ihn für sein Vertrauen, das er in mich setzt, nicht genug loben.

Also: er setzte mir eine nicht unbeträchtliche Summe als

Darlehen aus, das ich ihm in eigenartiger Weise zurückerstatten werde. (Nicht nur, daß er an mein Wort glaubt – das kann er getrost, ich werde es halten, so ich kann, und koste es mein Leben – er zweifelt auch nicht an meiner glorreichen Rückkehr dereinst.) Ich werde nämlich, nachdem ich die verdiente Rehabilitierung von Seiner Kaiserlichen Gnade heruntergereicht bekommen habe, meine Angelegenheiten in unserer Zeitheimat so schnell wie möglich ordnen, und dann nehme ich eine Handvoll Silberschiffchen, einige wertvolle silberne und goldene Schmuckstücke und die eine meiner zu unserer Zeit schon uralten Handschriften des »Wahren Buches vom südlichen Blütenland«, und Freund Shi-shmi kann diese in den tausend Jahren unbezahlbar gewordenen Schätze verkaufen.

Also bin ich, dank Freund Shi-shmi, davor bewahrt, über den Rand zu rutschen.

*

Es war zwei Tage, nachdem ich in Min-chen angekommen war (Herr Shi-shmi hatte mir sein eigenes Sperrgerät mitgegeben, mittels dessen man die Tür zu seiner Wohnung öffnen kann, und ich darf, was mir natürlich Geld erspart, dort wohnen), und ich ging durch die Stadt hin und wieder, um die Plätze aufzusuchen, die ich seinerzeit gesehen hatte, und ich ging eben durch die Straße, in der jenes Hong-tel »Zu Den Vier Jahreszeiten« lag, da hörte ich ein Geschrei.

»Ja, gibt es denn das jetzt auch«, schrie einer, und kurz darauf haute mir eine Tigertatze mit voller Kraft auf die Schulter, daß meine Knie knickten. Und wer war es? Du erinnerst Dich vielleicht, daß ich in meinen Briefen damals von Herrn Jü-len-tzu, dem Waldmeister, schrieb, dem mächtigen, bärtigen Bäumegelehrten, der so freundlich und lustig war.

Und eben dieser Jü-len-tzu, gewaltig wie ein Bär, stand

über mir, brüllte vor Freude und sagte eins übers andere Mal: »Das kann doch nicht wahr sein, das ist doch nicht möglich, das ist doch der gute Kao-tai, ja lebst du denn noch? Wie geht es dir? Das ist aber eine Freude!« und er drückte mich an seine Brust, die breit wie bei einem Roß ist, und schleppte mich sofort in eine schöne, nahegelegene Schänke, die den seltsamen Namen »Was man im Theater auf die Bühne stellt« trägt, und bestellte eine Flasche Mo-te-shang-dong. Selbst daran, daß wir vor fünfzehn Jahren ebensolches Getränk selten verschmähten, erinnerte er sich.

Zum Glück fragte er nicht sehr viel nach meinem Befinden, sagte nur: »Du siehst gut aus, jünger bist du zwar auch nicht geworden, alter Bursche, aber es geht dir offenbar blendend –« und sprudelte im Übrigen von seinen Geschicken. Die waren, zumindest in letzter Zeit, nicht so rosig gewesen, was aber keineswegs Jü-len-tzus Fröhlichkeit verdarb.

Er hatte, so erzählte er, vor einigen Jahren bei einem seiner Aufenthalte in Min-chen eine sehr schöne Frau kennengelernt, sei sogleich in Liebe zu ihr entflammt, und es sei ihm gelungen, nach sehr kostspieligen Werbungen ihrer habhaft zu werden. Er sei sogar bereit gewesen, sie entgegen allen seinen Lebensvorsätzen zu seiner Hauptfrau zu machen (die Großnasen haben, jedenfalls legal, immer nur *eine* Frau), was sie aber abgelehnt habe. Es sei ihm dies aber dann auch recht gewesen, denn sie gestattete es ihm, sie zu beschlafen, sooft er in Min-chen war, und ihre Brüste seien von nahezu sonnengleicher Pracht gewesen und ihre Haut wie von pfirsichfarbener Seide.

Das sei einige Jahre gutgegangen, aber vor einigen Tagen sei er wieder nach Min-chen gekommen, diesmal überraschend, und da sei – »Du kannst dir's denken!« sagte er, so ein komisches Geräusch in der Wohnung gewesen, und er sei dem Geräusch nachgegangen, und seine Pfirsichhäutige sei immer nervöser geworden und habe gekreischt: »Ich höre absolut kein Geräusch! Du hast Hirngespinste!« und sie habe, um ihn abzulenken, Teile ihrer Kleidung von sich geworfen und ihre Sonnenbrüste geschüttelt, aber er habe sich nicht ablenken lassen, denn er habe jetzt auch einen komische Geruch wahrgenommen, als Waldmeister und Bäumegelehrter habe er eine feine Nase, und, kurz und gut, als er einen Schrank öffnete, saß ein schwarzer Mann mit geschorenen Haaren und Ringlein in den Ohren drin.

Frau Pfirsichblüte habe aufgejault, der Schwarze habe gewimmert, er, Jü-len-tzu, habe ihn bei eben erwähnten beringten Ohren aus dem Kasten hervorgezogen, um ihn zum Fenster hinauszuwerfen. Da sei das Weib aber ganz wütend geworden, habe gesagt: sie sei nunmehr in Liebe zu dem Geschorenen verfallen, der ein berühmter Sänger hervorragender Lieder sei und so gut wie täglich in der Fernblick-Maschine zu bewundern, und er, Jü-len-tzu, solle sich trollen, sonst hole sie die Scharwache.

So ließ also Herr Jü-len-tzu den Jaultrottel los, gab dem Weib eine Maulschelle und ging. »Die Maulschelle«, sagte Herr Jü-len-tzu bekümmert, »hätte natürlich nicht sein dürfen. Man maulschelliert kein Weib, auch kein solches nicht. Aber ich sage dir: hätte ich ihr nicht die Maulschelle gegeben, hätte ich den Schwarzen zerquetscht. Und das wäre doch nicht gut gewesen?«

Was ihn aber am meisten geärgert habe, das habe er erst später erfahren: der Schwarze hatte den schönen, roten A-tao-Wagen, ein kostbares Stück, das Jü-len-tzu der Pfirsichhäutigen geschenkt hatte, auf seine eigene Rechnung verkauft.

»Fort mit Schaden!« schrie nun Jü-len-tzu, es entschädige ihn förmlich für den ganzen Ärger, daß er mich getroffen habe, und jetzt wolle er sich mit mir einen heiteren Abend machen.

Ich war natürlich einverstanden.

Ich will Dich nicht mit der Aufzählung der Schänken und Etablissements langweilen, in die mich Herr Jü-len-tzu zerrte (manchmal zerrte auch ich); und die Zahl der Flaschen Mo-te-shang-dong, die wir leerten, habe ich ohnedies vergessen. Etwas anderes ergab sich für mich an dem Abend, und das führte dazu, daß ich nicht, wie ursprünglich beabsichtigt, nach Ki-tsi-bü fuhr, sondern – mit Herrn Jü-len-tzu – in anderwärtige Richtung.

Herr Jü-len-tzu war deswegen unangemeldet zu seiner Sonnenbrüstigen gereist, weil er ihr eine Überraschung besonderer Art bereiten wollte.

Um das zu erklären, muß ich weiter ausholen.

Du erinnerst Dich vielleicht an jenen Brief, in dem ich schilderte, wie mich Herr Shi-shmi in ein musikalisches Unterhaltungshaus führte, in dem das angeblich im Reich der Mitte handelnde Singspiel »Vom Lande, in dem immer gelächelt wird« dargeboten wurde.

Solche musikalischen Unterhaltungshäuser gibt es nicht nur in Min-chen, sie gibt es überall in den Städten der Großnasen, und eins der berühmtesten, ja, vielleicht das allerangesehenste musikalische Unterhaltungshaus, förmlich eine Pilgerstätte aller Freunde der großnäsischen Musik, steht in einer eher kleinen Stadt weiter nördlich, etwa auf halbem Wege zwischen Min-chen und Lip-tsing.

Die Berechtigungszettel zum Besuch einer dortigen Singspiel-Unterhaltung sind sehr stark gesucht, sie sind, sagte mir Jü-len-tzu, praktisch wertvoller als gleich große Diamanten. Das hänge einmal damit zusammen, daß die Unterhaltung dort nur wenige Male im Sommer dargeboten werde, und daß der Ruhm dieser Singspiele die ganze Welt umspanne. Außerdem sei es für das Ansehen gewisser Leute gleichsam tödlich, dort nicht gesehen zu werden, weswegen ein derartiges Gedränge um diese Berechtigungszettel sei, daß jedes Jahr einige Bewerber zertreten auf der Strecke blieben. Bildlich gesprochen. »Sieben Jahre!« sagte Jü-len-tzu, »muß man anstehen, bis man mit einer Karte begnadet wird, und die muß man dann auch noch kräftig berappen.« Heuer endlich sei es ihm gelungen, zwei Karten zu ergattern, und da er wisse, daß seine Pfirsichbrüstige nachgerade geil darauf sei, dorthin zu fahren, habe er ihr diese Freude machen wollen. »Aber eben, statt dessen sitzt der schwarze Jaultrottel im Kasten.«

Er habe es sich nicht versagen können, lachte Jü-len-tzu, es der Dame, nachdem er sich beruhigt hatte, mittels der Fernrede-Maschine zu stecken, daß sie um diesen Genuß gekommen sei. Das Weib sei daraufhin halb wahnsinnig geworden, habe gerotzt und geheult, habe die zärtlichsten Worte in die Fernrede-Maschine gesalbt. »Aber nichts da«, donnerte Herr Jü-len-tzu, »das hat sie davon. Und jetzt fährst *du* mit! Das wird eine Gaudi!«

*

So fuhren wir also – in Herrn Jü-len-tzus A-tao-Wagen – nach dem Orte Grüner Hügel, um dem Unterhaltenden Singspiel »Pang-sing-fan« beizuwohnen.

Der Meister, der dieses Singspiel ersonnen hat (und übrigens auch alle anderen, die in »Grüner Hügel« dargeboten werden), heißt so ähnlich wie »Erbsenmehl-Kuchen« und gilt bei seinen Anhängern als Gott. (Seine weiteren musikalischen Komödien, so erfuhr ich von einem anderen Besucher, der mir dies hinter vorgehaltener Hand versicherte, brauche man nicht anschauen. Wenn man eine kenne, kenne man alle.)

Es regnete. Eine unübersehbare Menschenmenge wälzte sich den Hügel hinauf, eine ebenso unübersehbare Menge von A-tao-Wagen bildete einen kaleidoskopisch sich verändernden Blechteppich seitlich des Unterhaltungs-Hauses, und der Lärm hätte den Donner verschluckt. Die Fahrer der A-tao-Wagen brüllten durch ihre kleinen Fenster heraus, daß die anderen A-tao-Wagen Platz machen sollten, was aber, wie eigentlich jeder sehen hätte können, nicht ging. Dazwischen traten Bläser heftiger Groß-Trompeten auf einen Balkon oben heraus und schmetterten markerschütternde Töne – so ähnlich, Du erinnerst Dich vielleicht an meine Schilderung von damals, in dem Massa'- und Halbal-Zelt auf dem Fest des Herbstmondes in Min-chen, nur daß die Leute nicht mitsaufen.

Die Damen, die herumwandelten, trugen kostbare Geschmeide, und mir fiel auf, daß sehr viele dieser Damen stark große Füße hatten und fromm blickten. »Ja!« sagte Herr Jü-len-tzu, als ich ihm diese meine Beobachtung mitteilte, »diese Veranstaltung gilt vielen nicht so sehr als Unterhaltung denn als Andacht, wenn nicht gar Gottesdienst.« Bedächtige Herren schritten auf und ab; ein Raunen ging plötzlich durch die Menge: dort! hieß es, komme der leibhaftige Enkel des Meisters »Erbsenmehl-Kuchen«, der das alles hier erfunden hat. Ob man sich niederknien müsse? fragte ich. Nein, sagte Herr Jü-len-tzu, das sei nicht nötig, wenngleich manche derlei versuchten, um zu einem Berechtigungs-Zettel zu kommen.

Das Dröhnen der A-tao-Wagen steigerte sich ins Gigantische. Ein Gaukler faszinierte mich: er stand halsbrecherisch mitten zwischen den Blech-Fluten und vollführte die kunstvollsten Verrenkungen, pfiff sogar dabei gleichzeitig auf einer kleinen Flöte. Ich konnte die Kunstfertigkeit gar nicht genug bewundern, aber Herr Jü-len-tzu belehrte mich, daß das gar kein Gaukler sei, sondern ein Stadt-Scherge, der versuche, die Lawine der A-tao-Wagen zu leiten.

Wieder tönten die Groß-Trompeten. Der Regen spritzte, der Gaukler pfiff, die großfüßigen Damen schritten andächtig, wunderbare Schirme waren von den Wandelnden aufgespannt, ein frommes Summen überall, seitwärts gab es gebratenen Schweinsdarm mit gehacktem Fleisch gefüllt (ich aß auch davon, recht schmackhaft), und die, wenngleich nassen, Fahnen wehten im Wind, es war großartig. Noch einmal tönten die Groß-Trompeten. Die A-tao-Lawine hatte sich endlich verlaufen, die Leute verschwanden.

»Sehr schön!« sagte ich zu Herrn Jü-len-tzu, »ich habe mich über die Maßen vorzüglich unterhalten. Und was machen wir jetzt?«

Ich erfuhr, daß es jetzt erst eigentlich losging. Es dauerte, sage ich Dir, sieben Stunden. Zweimal durfte man ins Freie, aber die meiste Zeit saß man – so eng wie im Fliegenden Eisendrachen – im Inneren des Unterhaltungshauses. Die sieben Stunden vergingen meistenteils im Dunkeln. Die Handlung des Singspiels verstand ich nicht, obwohl sich die Darsteller bemühten, laut zu deklamieren, aber eine eher breite Musik tönte immer dazwischen. Sie kam von irgendwo her, und ich wundere mich, daß der Enkel des Meisters nicht Mittel und Wege zu finden verstand, die störende Musik zu unterbinden.

Der Held der dargestellten Komödie, sagte Herr Jü-len-tzu, werde *erlöst,* das sei das Um und Auf der Geschichte. Wovon er aber erlöst werden solle, habe ich nicht erkannt. Vielleicht von Schulden, denn eine Gruppe böse blickender, meist in rindenfarbige Kleider gehüllte Gestalten, wohl Kaufleute oder Geldverleiher, umzingelten des öfteren den Helden, der in ziemlich zerrissenen Gewändern auftrat, wohl um seine Armut zu demonstrieren. Ein schwarzhaariges Weib tobte eine Zeit lang auf der Bühne, entkleidete sich aber nicht. (Das sei, sagte Herr Jü-len-tzu, hier nicht üblich, nur in solchen Unterhaltungshäusern, die wir vorgestern in Min-chen besucht hätten. Es sei da ein deutlicher Unterschied zu machen.) Ein paar Mal wurde ein Greis auf einer Bahre über die Bühne getragen. Er jammerte, sang aber ziemlich kräftig. Einmal schoß der Held einen Pfeil nach oben, und ein großer Vogel fiel herab. Das gefiel mir sehr gut. Einige Tänzerinnen versuchten gegen Schluß des Stückes, so hatte ich den Eindruck, das – was Wunder, nach sieben Stunden! – etwas ermüdete Publikum aufzumuntern. Es war wohl gut gemeint, aber der Enkel des verewigten Meisters wäre gut beraten, wenn er etwas schlankere Damen wählte. Aber vielleicht entspricht das dem gängigen Geschmack hier, und so will ich weiter nichts sagen. Ein böser Zauberer kam auch vor. Er hatte einen schwarzen Spitzbart und stand auf einem dreieckigen Felsen. Mittels eines kunstreichen, unsichtbaren Mechanismus wurde dieser Felsen, während der Zauberer sang, leicht bewegt. Der Zauberer war offensichtlich davon überrascht, auch ruckelte der Theater-Felsen etwas, und der Zauberer stürzte fast herunter. Das gefiel mir stark. Den Leuten behagte die ganze Sache, scheint mir, nicht, denn sie tobten und wüteten, nachdem ein großer Vorhang vor der Bühne herniedergesunken war, sie verursachten Lärm durch Aneinanderschlagen der Hände (wahrscheinlich um anzudeuten, daß sie die Darsteller – oder den Meister? – ohrfeigen wollen), und als die Darsteller kleinmütig vor den Vorhang traten, wohl um sich zu entschuldigen, ließ keiner sie zu Wort kommen. Nach einiger Zeit aber ermüdete der – ich muß sagen: nicht ganz unberechtigte – Zorn der Menge, und alle liefen, um wieder gebratenen, gefüllten Schweinsdarm zu essen.

»Nein, nein«, sagte ich zu Herrn Jü-len-tzu, »du brauchst dir nichts zu denken. Ich bin froh, auch diese Erfahrung gemacht zu haben.«

Aber oft, das dachte ich nur bei mir selber, ginge ich da nicht hin.

IX

Du wirst mir glauben, teurer Dji-gu, daß ich mein eigentliches Ziel, nämlich nach Haus (und somit auch in die Arme Deiner Freundschaft) zurückzukehren, nicht aus den Augen verliere. Wenn ich auch nicht davon schreibe, so kreisen meine Gedanken doch ständig darum. Ich habe genug von dieser Welt. Ich kenne sie inzwischen zu gut.

Aber ich kehre nicht zurück, um als versteckter Bettler in den westlichen Einöden zu leben und Gras zu kauen oder dem verbrecherischen und verleumderischen La-du-tsi in die Fänge zu geraten, und dazu brauche ich genaue und zuverlässige Nachricht von den Zuständen in unserer Zeitheimat, exakt tausend Jahre zurückgerechnet von den Tagen hier. Ein so genaues historisches Werk habe ich bisher nicht gefunden, wie gesagt, nicht einmal in der Bibliothek der Hauptstadt des Reiches Ju-xä, die sich – also zu unrecht – rühmt, von allen Büchern der Welt eins zu haben. Ich konnte bisher keinen Gelehrten finden, der über solche Feinheiten unserer Geschichte Bescheid weiß, ich konnte nicht einmal einen aufspüren, der einen kennt, der dies weiß. Allerdings hat mir Herr Shi-shmi Hoffnung gemacht: er ahne einen Weg. Es gäbe einen überaus Geprüften Gelehrten, der heiße Hoher Pavillon, der sei zwar eine Großnase, kenne aber alles, was das Reich der Mitte betreffe, bis in die kleinste Kleinigkeit. Diesen bewundernswürdigen Hohen Pavillon gelte es zu finden, und Herr Shi-shmi werde sich nach seiner Rückkehr unverzüglich daranmachen, diesbezüglicher Nachrichten habhaft zu werden.

Es gibt natürlich – diesen Vorschlag machte mir Herr Shi-shmi, als wir über mein Problem nachdachten – die Möglichkeit, daß ich nicht tausend Jahre, sondern nur – ja: wieviel?

Jahre zurückeile. Aber eben: wieviel? 970 Jahre sind vielleicht zu wenig, da treibt der Teufel La-du-tsi noch sein Unwesen. Selbst 950 Jahre sind zu unsicher. 900 Jahre – freilich, da hat den La-du-tsi mit Sicherheit der Teufel geholt. Aber was soll ich unter den Kindern meiner Kinder? und alle Freunde sind längst tot, von meiner Shiao-shiao gar nicht zu reden. Ich wäre vielleicht fremder als hier unter den Großnasen.

Abgesehen davon, daß meine Zeitmaschine zwar die tausend Jahre exakt trifft, nicht aber kürzere Entfernungen.

Ob ich nicht, meinte Herr Shi-shmi, mich ins heutige Reich der Mitte begebe, um dort nach alten Schriften zu suchen? Freilich habe ich längst schon an diese Möglichkeit gedacht. Zwar ist es, so komisch es Dir vorkommen mag, sehr einfach, einen Fliegenden Eisen-Drachen zu besteigen und nach K'ai-feng zu sausen. Aber, so habe ich mir sagen lassen, es habe wenig Zweck.

Denn –

– oh verbirg dereinst diese Blätter gut. Ich schreibe das, was ich aus Scham verschweigen wollte und was an den Grundfesten Deines Verstandes zerren wird, nun doch hier nieder: es gibt im Reich der Mitte –

Nein. Ich kann es nicht hinschreiben. Es ist außer aller Faßbarkeit. Es ist, als ob der runde Himmel sich mit der viereckigen Erde vermengte und eine lehmbraune Geometrie der Unordnung zeugte.

Ich muß es doch hinschreiben.

Halte Dich fest.

Setz Dich nieder, überprüfe Deinen Sitz, vergiß nicht zu atmen, wenn Du es gelesen hast:

Es gibt im Reich der Mitte

keinen Kaiser mehr.

Hast Du die Nachricht überstanden? Dann lies weiter.

Vor – von diesem Punkt im Zeitenfluß, an dem ich mich

jetzt befinde, gerechnet – ungefähr achtzig Jahren hat eine Palastrevolution im Reich der Mitte stattgefunden. Sowas kennt man. Was aber unerhört war: die Kaiserliche Himmelsmajestät (ein junges Kind von vielleicht sechs Jahren) wurde abgesetzt. Auch das kennt man. Aber was bis dahin unerhört war: der Drachenthron blieb leer. Nicht genug damit: der Drachenthron wurde – bildlich gesprochen – achtlos in einen unbenutzten Eselsstall gestellt und dem Wurmfraß überlassen.

Heute, so sagte man mir, herrsche im Reich der Mitte eine korrupte Bande von dicken Greisen, Mißgeburten wie Ladu-tsi, verehre noch immer die anderwärts versunkene Lehre von Ka-Ma und Le-Ning und unterdrücke möglichst alle Erinnerungen an die erhabene Vergangenheit; sogar das Andenken des edlen Weisen vom Aprikosenhügel wurde mit Kot beworfen. Und da alle alten Aufzeichnungen wenn nicht verbrannt, so dem Mausbiß überlassen worden seien, rentiere es sich gar nicht, dorthin zu fahren. Im übrigen sei man dort so mißtrauisch, daß sie einen nicht hineinließen, einen wie mich schon gar nicht, weil sie befürchten, ich sei eine als »Chinese« verkleidete Großnase.

Es bleibt mir also nicht viel anderes übrig, als auf die Rückkunft des großmütigen Herrn Shi-shmi zu warten, und daß er den Gelehrten Hoher Pavillon findet.

*

Um mir die Zeit bis dahin zu vertreiben, auch um vielleicht selber durch Glück und Zufall Anhaltspunkte für die Zeit der günstigen Rückkehr zu finden, jedenfalls aber, um wenigstens die Gelegenheit zu nutzen, die Welt der Großnasen noch besser zu erforschen, beschloß ich, der Einladung des kindergesäßgesichtigen Herrn Fung-si-bang nun endlich zu folgen, denn das geheimnisvolle *Spong* interessierte mich schon. Ich frage auch Herrn Jü-leng-tzu danach. Er sagte aber nur, ich solle ihn mit derartigem Blödsinn in Ruhe lassen. Das Spong habe ihn nie begeistert, er verstehe nichts davon und wolle auch nichts davon verstehen.

Aber bevor ich mich von Herrn Jü-leng-tzu trennte, erwartete mich ein neues Abenteuer (wenn man es so nennen kann, ein Abenteuer geistiger Art), für dessen Schilderung ich jedoch wiederum etwas ausholen muß. Ich hoffe, daß Deine Geduld, auch dies zu lesen, ausreicht, oh Wolkenturm der Freundesliebe.

Als ich damals in der Stadt »Hast-du-mal-ne-Mark-für-mich« war, die auch die Stadt »Bel-ling« heißt, sprachen alle ununterbrochen von einem gewaltigen, nie gesehenen Ereignis. Damit war – leider – nicht unser kläglicher Circus gemeint, sondern ein Mensch, dessen Namen ich mit Recht vergessen habe. Es hängt mit dem zusammen, was die Großnasen Kunst nennen. Ich habe Dir schon vormals, bei meinem ersten Aufenthalt hier in der Großnasen-Welt, von der merkwürdigen Unart der hiesigen Künstler geschrieben, sich an Katastrophen zu ergötzen. Herr Shi-shmi gab mir einmal ein sehr schönes Kompendium farbiger Abbildungen von Kunstwerken aus der Großnasenwelt. Ich blätterte darin und sah mich mit einer Flut von gräulichen Unglücksfällen und Schandtaten konfrontiert:

Sehr häufig ist ein magerer, nackter Mensch dargestellt, der an Balken genagelt ist, oder die liebevoll ausgestaltete Darstellung der Abschlachtung von kleinen Kindern; oder wie zwei Schlangen einen Greis und zwei Jünglinge fressen; Häutungen bei lebendigem Leib, Feuersbrünste, junge Frauen, die einem schlafenden Bärtigen den Kopf abhacken, Aufspießung eines bedauernswerten Drachen durch einen bösen Gepanzerten, an Felsen festgekettete nackte Jungfrauen, Totenköpfe, zusammenstürzende Häuser, überhaupt Ruinen – als ich bis zu einem Bilde geblättert hatte, auf dem ein Mann dargestellt war, der in einem Kessel saß und gerade gesotten wurde, weigerte ich mich, den Untaten weiter meine Aufmerksamkeit zuzuwenden.

Kannst Du Dir einen unserer Meister des Pinsels vorstellen, der einen Menschen darstellt, der gerade gesotten wird? Ich nicht. Ist die Welt, so fragte ich Herrn Shi-shmi, nicht ohnedies abscheulich genug, als daß man noch auf Bildern zusätzliche Scheußlichkeiten darstellen müßte? Aber er verstand mich nicht. Die Kunstausübung der Großnasen muß irgendwie mit Katastrophen zusammenhängen.

Aber in dieser Zeit, in dieser meiner Zeit bei den Großnasen, scheint sich eine andere Katastrophe anzubahnen oder schon angebahnt zu haben, die die Kunst an sich betrifft. Wahrscheinlich, das wäre lobenswert, sind unlängst die Künstler der ewigen Unglücksfälle müde geworden und haben sich anderen Dingen zugewandt. Aber nicht, daß Du meinst, sie würden jetzt angenehme Dinge malen wie Blumen oder Gärten oder ein Boot auf einem See – nein, sie malen überhaupt nichts mehr.

So einer war der, dessen Name ich vergessen habe, von dem aber die ganze Stadt Bel-ling sprach: er hüllte ein Haus in ein Tuch.

Du sagst: Du habest Dich verlesen? Er habe ein Haupt (sein Haupt? einen Kohlkopf?) in ein Tuch gewickelt? Nein. Du hast richtig gelesen: er hat ein *Haus* in ein Tuch gewickelt. Freilich, so erfuhr ich, hat er seinerzeit klein angefangen, hat zunächst einen Kochlöffel eingewickelt, dann seine Sandalen, dann einen Hund, dann einen Baumstamm – und so weiter. Er ist zu immer größeren Gegenständen fortgeschritten, wobei, so sagte man mir, sein Ruhm beständig gewachsen ist. Aber nicht genug damit, immer noch größere Gegenstände waren erforderlich, um seinen Kunstdrang zu befriedigen. So fand er eben jenes, ich sage Dir: palastgroße Haus in der Stadt Bel-ling, das er, ich zweifle nicht: höchst überraschend für dessen Bewohner, in ein Tuch wickelte. Ich sah das Ergebnis. Wie sah es aus? Wie ein eingewickeltes Haus.

Demnächst, so war zu erfahren, werde der Meister ein Gebirge im Lande Ti-long einwickeln; das Gebirge heißt: der Rosengarten. Und danach, das sage aber nur ich, bleibt ihm nur noch eins zum Einwickeln: er selber.

*

Aber ich bin freilich ungerecht. Ich gebe es zu. Ich habe jenes Konvolut von Bildern, das mir Herr Shi-shmi gegeben hat, später noch einmal angeschaut. Tatsache ist schon, daß die Großnasen-Künstler einen Hang zur Darstellung abstoßender Ereignisse haben, und dies fällt einem Unvorbereiteten in solchem Maße auf, daß er meint, alles sei so abscheulich.

Es gab auch andere Meister, gibt sie sogar noch. Herr Jü-leng-tzu sagte, als ich ihm in einer der Erfrischungs-Stunden zwischen den einzelnen Teilen des oben erwähnten Lustspiels von dem eingewickelten Palast erzählte: »Ja, davon habe ich auch gehört. Auf was die Leute nicht alles kommen, wenn man sie läßt. Aber du solltest den Mi-mang-tsu kennenlernen und seine Kunst.«

Und so vereinbarten wir, daß wir in eine etwas südlich der Stadt Grüner Hügel gelegene Stadt fuhren, denn Herr Jü-leng-tzu kennt von gemeinsamen Zeiten in der Schule her den Meister Mi-mang-tsu, und so kam ich in die schöne, wie man mir sagte, weltberühmte Stadt Nü-leng-beng. Meister Mi-mang-tsu, mit vollem Namen Mi-mang-pech-tel, empfing uns sehr freundlich, und er zeigte uns seine Bilder und erzählte von einem bedeutenden Meister der Vorzeit, der auch in Nü-leng-beng gewohnt habe und »Meister der betenden Hände« oder auch »Meister des Hasen im Gras« genannt wurde.

Von den Bildern Mi-mang-tsus später. Ich beschloß, einige Tage in Nü-leng-beng zu bleiben, denn ich hatte keine Eile, das Spong würde mir nicht davonlaufen. Herr Jü-leng-tzu aber verabschiedete sich und fuhr in seine Heimat nach Norden. So trennten wir uns, für immer, wußte ich; er wußte es aber nicht.

In Nü-leng-beng gibt es ein bedeutendes Mu-seng, das wollte ich besuchen. Weißt Du, was ein Mu-seng ist? Nein. Ein Mu-seng ist ein großes Haus, in dem Bilder verstreut an den Wänden hängen und Bildsäulen stehen. Es ist nämlich hier im Reich der Großnasen nicht so, daß sich die Auftraggeber die Bilder zu Hause in ihre Häuser hängen und sich an ihrem Anblick erfreuen. Nein. Meister Mi-mang-pech-tel hat mir erklärt, wie das kommt: Die Großnasen stehlen einander die Bilder, wenn solche schön und wertvoll sind, weshalb sie sie lieber einem Mu-seng schenken, wo sie von Staats wegen bewacht und seltener gestohlen werden. Es gibt aber auch Bilder, sagte Mi-mang-tsu, die sind wertvoll, aber nicht schön, was man jedoch von diesen Bildern aus irgendeinem Grund nicht sagen dürfe, und sie hängen die Auftraggeber auch lieber ins Mu-seng, damit sie sie nicht dauernd anschauen müssen.

So kann man also in den Sälen der Mu-seng in den verschiedenen Städten der Großnasen die Wandlung der Kunst der Malerei nachvollziehen, die diese seit den Zeiten des Meisters der gefalteten Hände durchgemacht hat.

Die Maler, sagte mir Meister Mi-mang-tsu, waren nach hunderten von Jahren, in denen sie hauptsächlich damit beschäftigt waren, außer den erwähnten Katastrophen eine gewisse Ma-yi-ya zu malen, die ein meist nacktes und nicht ungern fettes Kind (angeblich einen Jung-Gott, jener Ye-su als Säugerling) auf dem Arm hat, ungeduldig und ärgerlich und begannen eines Tages, nur den Hintergrund der Ma-yi-ya-Bilder zu malen, hohnlachend sozusagen den Hauptgegenstand wegzulassen und nur die Staffage darzustellen. Dabei entwickelten die Maler einen auffallenden Hang zu schlechtem Wetter. Ich habe Bilder gesehen, in denen die Maler mit nachgerade grinsender Grausamkeit derart im Sturm schwankende Schiffe gemalt haben, daß einer vom bloßen Anblick seekrank werden kann. Oder schneeverwehte Felsblöcke, Eisschollen, Schluchten mit wildem Wasser – wie überhaupt, wie schon erwähnt, die Kunst der Großnasen einen auffallenden Hang zu Ungemach hat. Aber die eigentlichen Katastrophen, sagt Meister Mi-mang-tsu, sind in den Werken späterer Meister *an sich* und *in sich* zu finden. Zwar befleißigten sich einige Meister im Großen und Ganzen noch eines gewissen schöpferischen Ernstes. Sie versuchten, das Licht zu malen. Ein schönes und poetisches Vorhaben, das, sagt Mi-mang-tsu, eigentlich nur zwei, drei ganz Großen dieser Kunst gelungen ist. Mo-neng heißt einer. Aber dann lief die Sache aus dem Ruder.

Man könne, erzählte mir Meister Mi-mang-tsu, im Grunde genommen zwei Arten von Malern heutzutage hier unterscheiden: die einen seien von dem überzeugt, was sie (zum Teil sogar unter Zuhilfenahme ihres Gesäßes) erzeugten, und hielten es für ernsthafte Kunst, die anderen wissen, daß sie Schwindler sind, und führen nur ihre Kunden hinters Licht. Er wisse nicht, sagte Mi-mang-tsu, welche Sorte schlimmer ist.

Da hat es einen gegeben, der zeigte allen seine Wunde. (Leider konnte ich nicht erfahren, wo er diese Wunde hatte; manche sagen: am Kopf.) Er verfertigte Anzüge aus Filz mit geronnener Rinds-Milch in den Taschen; auch verkaufte er seine abgeschnittenen Fingernägel. Er gab Manifeste heraus, in denen er nachwies, daß alles Kunst sei, nur das, was Kunst ist, sei keine Kunst. Inzwischen sei er – er meinte: mit Recht – verstorben. Aber er lebt in einer Schülerin weiter. (Du hörst recht: auch Weiber betätigen sich hier als Meister, wogegen ja an sich nichts zu sagen ist.) Die Schülerin läßt Würmer übers Papier kriechen und zertritt dann die Exkremente. Es gibt Leute, Du staunst wahrscheinlich, die für den Erwerb solcher Wurm-Exkremente Geld zahlen. Aber so ist es dann wieder verständlich, daß die Leute dies doch lieber ins Museng als an die eigenen Wände hängen.

Ein Meister malte nur alle Leinwände blau. Eines Tages malte er eine Leinwand rot, worauf er für verrückt erklärt und eingesperrt wurde. Es ist nämlich so, daß, wenn ein Meister einmal seine Art der Kunst gefunden hat (etwa: statt zu malen die Leinwand mit Schlitzen zu versehen), es ihm dann untersagt ist, irgend etwas anderes zu machen. Wer, fragte ich, erläßt diese Verbote? Ja! ha! lachte Meister Mi-mang-tsu, das ist der geheime Orden der Kunst-Wissenden. Niemand kennt sie genau, nie zeigen sie sich öffentlich, sie haben eine verborgene, gefährliche Macht, und sie diktieren die Preise.

»Und Sie, hochverehrter Meister Mi-mang-tsu«, fragte ich, »welcher Kunst-Richtung befleißigen Sie sich? Treiben Sie Nägel in die Rahmen? Oder besprützen Sie Ihre verehrungswürdige Frau Gemahlin mit Farbe? Oder werfen Sie vom Dach Ihres Hauses Ihren Hund auf die Leinwand?« »Nein«, sagte Meister Mi-mang-tsu, »ich habe keinen Hund, vielmehr eine Katze, und ich stelle mich vor die Leinwand oder beuge mich übers Papier, und schaffe das nach meinem inneren Bild, was mir wichtig ist.«

Er zeigte mir einige Bilder. Du erinnerst Dich vielleicht, lieber Freund Dji-gu, wie mir beim Anhören der Göttlichen Vierheit, die ein Werk von We-to-feng spielte, ein Faden eines unerinnerten Wiedererkennens in die Hand zu gleiten schien. Ähnlich erging es mir bei den Bildern Mi-mang-tsus. Hier ist eine Welt dargestellt, die überall gilt, und über diese Welt zerstäuben alle Fett- und Filz-Maler zur Nichts-Sagung.

Einige Tage später, nachdem mir die Sache mit der Kunst

der Großnasen oft im Kopf herumgegangen war, suchte ich Mi-mang-tsu wiederum in seiner Werkstätte auf. Ich war unangemeldet, denn ich beherrsche die fernhinsprechenden Geräte noch nicht gut, und es erschreckt mich immer, wenn es so gräßlich darin pfeift; oder man hat die Knöpfe nicht in genau der vorgeschriebenen Reihenfolge gedrückt, so daß eine kaum als weiblich erkennbare Stimme aus dem Gerät ertönt, die ungefähr sagt: Kei-ang-xiu-u-ding-num. Ich vermeide also die Fernhinsprechenden Geräte nach Möglichkeit, und ich wanderte einige Stunden zu Mi-mang-tsu hinaus in der Annahme, daß sich ein anständiger Meister seines Handwerks bei Tageslicht in seiner Werkstatt aufhält. Und in der Tat war es so. Meister Mi-mang-tsu arbeitete und ich bat mit vier Drei-Achtel-Verbeugungen um Entschuldigung für die Störung, aber ich hätte eine mich bedrängende Frage.

Der Meister lächelte (was bei seinem unglaublich schönen, wenngleich die Züge verbergenden Bart nur für genauere Beobachter festzustellen ist) und sagte: er hielte sich für einen schlechten Meister seiner Zunft, wenn er nicht das Werk, an dem er arbeite, ohne Schaden nach einer Unterbrechung dort aufnehmen könne, wo er es liegengelassen habe. Nur Schmierer schwafeln von Inspiration.

Nun meine Frage: Wie erkennt man angesichts der nur schwer zu fassenden Kunst der Großnasen das Genie? Woher weiß man, ob ein Meister der wild-hin-und-her-fahrenden-Malerei oder ein Meister des Einwickelns von Gegenständen oder ein Meister des Drähtebiegens nun ein Genie ist oder nicht?

»Die Genies«, sagte Meister Mi-mang-tsu, »werden ernannt.« »Oho«, sagte ich, »von wem? Vom Obermandarin? Vom Höchsten Priester? Vom Gericht?« »Nein«, sagte Mi-mang-tsu, »von denen, die in den regelmäßig erscheinenden Papierbogen über Kunst schreiben. Die schon erwähnte Geheime Bruderschaft. Die beobachtet, wenn einer Dreiecke und Vierecke aufs Papier bringt, und entscheidet dann, ob dieser ein Genie ist oder nicht. Und alle sind dann daran gebunden, und die Dreiecke und Vierecke oder die geschlitzte Leinwand oder was immer erfährt immerwährenden großen Segen.«

»Und wenn nicht?« fragte ich. »Dann mag er sehen, wo er bleibt«, sagte der Meister.

Ich war aufs Höchste beeindruckt. Ich imaginierte mir einen Meister des Hasenfell-auf-die-Leinwand-Klebens, zu dem endlich jene Geheimen Kunstrichter kommen, und sie stellen, nachdem sie untereinander sich murmelnd beraten haben, fest: dies ist ein Genie. Daraufhin wird der Meister des Hasenfell-auf-die-Leinwand-Klebens im Triumphzug ins Rathaus gebracht, und feierlich wird ihm vom Mandarin von Nü-leng-beng der Genie-Zopf an das Haar geheftet... oder etwas in dieser Art.

Nein, sagte Meister Mi-mang-tsu, er, Mi-mang-tsu, sei nicht zum Genie ernannt worden. Sozusagen im Gegenteil. Das sei in seinem Fall aber eine äußerst vertrackte Angelegenheit. Jene Geheimen Kunstrichter mögen es gar nicht, wenn anderen außer ihnen und womöglich sogar der Menge die Hervorbringungen gefallen, die man malt. Sie wollen, daß nur *Ihnen* dies gefällt, um zu zeigen, daß nur sie wahre Einsicht haben. Meister Mi-mang-tsu hat das Unglück, daß seine Malerei allgemein gefällt. Eine Todsünde. Und so entbehrt Meister Mi-mang-tsu des offiziellen Genie-Zopfs, aber, sagte er und lächelte wieder, dafür freue er sich an seinen Arbeiten und an der Arbeit, während die Ernannten Genie-Zöpfe, habe er den Verdacht, sich über ihre eignen – er benutzte hier ein Wort, das ich schriftlich nicht wiedergeben will, da es aus der Welt der Verdauung stammt – tödlich langweilten.

Ich wollte mich verabschieden, aber Mi-mang-tsu sagte:

ich solle noch kurz bleiben. Er legte ein Blatt auf und zeichnete mich mit großer Sorgfalt. Das Portrait war ähnlich, aber doch anders als meine Erscheinung, denn Meister Mi-mang-tsu gelang es, durch höchst einfallsreiche Drehungen und Perspektiven und durch spielerische Hinzufügungen von sinnreichen Gegenständen sozusagen mein Inneres nach außen zu kehren. Es ist nicht ungefährlich, von ihm gemalt zu werden, aber letzten Endes erkennt man am eigenen Bilde, wie tief Meister Mi-mang-tsu in die Zeit und in den Raum hineinblickt.

Ja – und er blickte so tief in mich hinein, daß ich ihm meine wahre Herkunft nicht mehr verbergen konnte. Er blieb einige Zeit stumm nach meiner Eröffnung, sagte aber dann, daß er zu alt sei, um sich über *irgend* etwas zu wundern, womit die Sache abgetan war. Er versprach, niemandem etwas von meinem Geheimnis zu verraten, und schenkte mir das Bild. Ich wußte nicht, wie ich ihm danken soll. Er sagte aber, ich solle keine Umstände machen. Es freue ihn, wenn ich es demnächst in meine chinesische Vergangenheit mit hinübernehme. Vielleicht taucht es dann hier wieder als Meisterwerk eines fernöstlichen Malers auf, und die Geheimen Kunstrichter gifteten sich recht.

So nehme ich dieses Bild mit in die Tiefe der Jahre, wenn mir einst, wie ich hoffe, die Rückkehr vergönnt ist, als das Werk eines der größten, wenngleich nicht offiziell mit dem Genie-Zopf bedachten Meister der Kunst der Großnasen.

Aber ich habe noch etwas getan. Ich ließ mir von einem der Geheimen Kunst-Richter, den ich in dem Mu-seng für In-die-Wand-geschlagene-Löcher aufspürte, eine Liste aller ernannten Genies geben. Zu meinem Erstaunen gab er sie mir äußerst bereitwillig. Und nun, lieber Dji-gu, halt Dich fest, nahm ich meine Zeitmaschine und schnellte zwei Jahrhunderte weiter in die Zukunft. Ich will jetzt hier nicht schildern, was ich dort alles sehen mußte, blieb auch nur kurz dort, aber vor allem soviel: ich suchte und fand recht rasch ein Mu-seng und erkundigte mich anhand meiner Liste...

Was soll ich Dir sagen? Kein einziger von all den ernannten Zopf-Genies war auch nur dem Namen nach mehr bekannt. Aber bei Nennung des Namens von Mi-mang-tsu blieb dem Kunst-Mandarin förmlich die Luft weg, und er wollte mir mein Portrait für eine Summe abkaufen, die normalerweise für den Bau eines Schlachtschiffes aufgewendet wird. Natürlich lehnte ich ab. Was soll ich mit einem Schlachtschiff.

Ich kehrte nach Nü-leng-beng zurück, aber ich erzählte Meister Mi-mang-tsu nichts davon. Ich brauche es ihm nicht zu wissen zu geben. Das Wahre – das nicht Ernannte Genie – weiß seinen Wert aus sich heraus.

Ich besuchte noch zwei Mal Herrn Meister Mi-mang-tsu, dann verabschiedete ich mich und machte mich auf zur Erforschung des Spongs.

*

Spong bedeutet: ohne Not einem hüpfenden Ball aus Leder nachlaufen. Spong bedeutet: einige Leute in kurzen Hosen versuchen andere Leute in andersfarbigen kurzen Hosen zu treten. Spong heißt: mit einem Groß-Löffel einen kleinen Ball einem anderen Menschen an den Kopf zu schleudern. Spong heißt: mit heraushängender Zunge laufen, über Stöcke springen, ohne schiffbrüchig zu sein sich ins Wasser zu begeben, bedeutet viele Fahnen zu schwenken, laut in Massen herumzujohlen, bevor und nachdem andere gehüpft und gelaufen sind. Spong ist eine Geldquelle, Spong ist eine Quelle übergroßer Ehre, Spong ist, wie mir Herr Fung-si-bang etwas blöde lächelnd erzählte: » – die wichtigste Nebensache der Welt«.

Ich fragte nach dem Sinn. Herr Fung-si-bang dachte lang

nach. Dann sagte er: Spong sei gesund. Nun wußte ich ja, daß auch das Schneewälzen zum Spong gehört, und da konnte ich mitreden. Herr Fung-si-bang mußte mir zugeben, daß es nicht unbedingt gesund sei, in der Kälte sich mit den Stangen und Brettern an deinen Beinen abzuquälen, »aber trotzdem«, sagte er eigensinnig, »ist der Spong letzten Endes gesund.«
Nun verstehst Du, teurer Dji-gu, was der Spong ist? Nein? Ich auch nicht, obwohl Herr Fung-si-bang noch stundenlang auf mich einredete.
Wir saßen in der schönen, großen Halle des Hong-tels »Zu den Vier Jahreszeiten«, denn als ich aus Nü-leng-beng nach Min-chen zurückgekehrt war, beschloß ich, noch einige Tage hier zu verbringen. Aus alter Anhänglichkeit stieg ich in dem eben erwähnten Hong-tel ab, in dem ich ja, Du erinnerst Dich, bei meinem ersten Aufenthalt in der Welt der Großnasen viele Wochen verbracht hatte.
Wir erstaunte ich, als ich vor dem Hong-tel stand und sozusagen liebevoll mit meinen Blicken über die hohe Fassade streichelte! Blickte da nicht von ganz oben aus einem Medaillon mein steinernes Abbild herab? Zuviel der Ehre, dachte ich und sagte es dem Hong-tel-Meister drinnen in der Halle.
»Wo? was?« fragte er.
Wir gingen hinaus, und ich zeigte es ihm. Nun staunte er: es war ihm selber noch nie aufgefallen, obwohl er schon vierundzwanzig Jahre in dem Hong-tel arbeitet. (So schlecht beobachten Großnasen in der Regel. Er erkannte mich auch nicht wieder. Ich ihn schon.) Er sagte dann, daß das wohl nicht mein Bildnis sei, sondern eher ein allgemeiner Mann aus dem Reich der Mitte.
Hätte mich auch gewundert.
Nun gut, und wer läuft mir in der großen Halle entgegen? Herr Fung-si-bang.
Er befand sich hier infolge einer Konferenz gewaltiger

Spong-Herren, die sich neue Gesundheiten ausdachten. Er wohnte in eben dem Hong-tel, und so sparte ich mir die Fahrt nach Ki-tsi-bü, das ich ohnedies in schlechter Erinnerung habe.

※

Spong, so also der kindergesäßgesichtige Fung-si-bang, ist gesund.

Ist er auch, fragte ich, für diejenigen gesund, die sich aus Dosen an ermunternden Getränken erquicken, während des Spong-Betrachtens, und dann umfallen?

Herr Fung-si-bang wurde verlegen. Das seien lediglich Auswüchse, sagte er.

Und wenn – fragte ich, denn so etwas hatte ich einmal in der Fernblick-Maschine beobachtet, wußte jetzt, daß es zum Spong zählt – wenn zwei mit übergroßen Handschuhen bewaffnet einander auf die Nase dreschen, bis einer umfällt, auch ohne erquickende Getränke genossen zu haben?

Auch das seien im Grunde genommen lediglich Auswüchse, antwortete er, an und für sich aber doch gesund.

Ich habe den Eindruck, aber das behielt ich für mich, daß das Spong hauptsächlich aus Auswüchsen besteht.

Um mich, verkündete Herr Fung-si-bang zum Schluß unserer Unterhaltung, einer wahrhaft großartigen Manifestation des Spongs teilhaftig werden zu lassen, werde er mich an einem bestimmten der nächsten Tage zu einem weltumspannenden Spong-Ereignis mitnehmen. Ich hatte den Eindruck, er war der Überzeugung, mir nicht nur eine große Ehre, sondern auch ein übergroßes Vergnügen zu bereiten.

Es herrschte ein Trubel, gegen den der Auftrieb in der Stadt Grüner Hügel förmlich eine stille Andacht war. Der Unterschied bestand allerdings darin, daß die Leute hier wie die Clowns in meinem Circus seligen Andenkens gekleidet waren. Auch fehlten fast völlig Frauen in der Menge. Die Brüller schwenkten Tücher und Fahnen, sangen rauhe Lieder und waren sichtlich schon voll der ermunternden Getränke.

Herr Fung-si-bang hatte mich abgeholt, und ich durfte in seinem A-tao-Wagen zum Spong-Ort fahren. Herr Fung-si-bang ist bei den Spong-Mandarinen so hoch angesehen, daß für ihn mit Gewalt eine Gasse in der Menge frei gemacht wird. (Ich durfte ihm folgen.) Tatsächlich tobte die Menge in höllischer Lautstärke los, als sie des Kindergesäßgesichtigen ansichtig wurde. Sie nannten ihn »Kaiser«, was ich als etwas übertrieben empfand.

Aber ich darf nicht ungerecht sein. Er war alles in allem sehr freundlich zu mir, wenngleich ich dies nur darauf zurückführte, daß er es als Herzensauftrag empfand, mich Unkundigen für das Spong zu begeistern. (Vergeblich – um dies vorwegzunehmen.)

Wir betraten ein – ja, wie soll ich sagen: Gebäude trifft die Sache nicht ganz. Die Großnasen haben ein an sich bewundernswertes Verfahren entwickelt, Häuser zu *gießen.* Du liest richtig. Sie zermahlen Steine zu Brei, versetzen den Brei mit irgendeinem Zusatz, und dann gießen sie – wie wir etwa Glocken – den Stein-Brei (Beng-tong heißt er) in die vorbereitete Form. Binnen kurzer Zeit trocknet der Brei, und das Gebäude steht da. Nur zeigt sich hier wieder, daß Erleichterungen ursprünglich mühsamer Verrichtungen zu Unfug und Albernheiten führen. Das Gebäude, das wir betraten, war rund und weit wie der Himmel; stell Dir eine unermeßlich große Schüssel ohne Deckel vor: so ist das Gebäude, natürlich ganz aus gegossenem Stein-Brei. Wenn die Großnasen das ordentlich aus Ziegeln errichten hätten müssen, hätten sie es sich wohl überlegt, so ein überflüssiges Bauwerk aufzuführen.

Da ich als Gast des offensichtlich überaus geschätzten

Herrn Fung-si-bang anwesend war, durfte ich eine bevorzugte Loge betreten, in der mehrere bedeutende Spong-Mandarine saßen. Einer dicker als der andere. Einer schwitzte wie ein Schwein, einer roch nach Fisch, der bereits vorige Woche gefangen wurde, mehrere hinkten, einer hatte einen rasierten Hund dabei, den er mehrmals küßte.

Ich verbeugte mich vor allen, und Herr Fung-si-bang erklärte mir, daß ohne diese bedeutenden Herren kein Spong stattfinden könne.

Ob die Herren selber auch dem Spong oblägen, fragte ich, vielleicht Eisenkugeln werfen oder in Sandgruben springen –?

Nein, antwortete Herr Fung-si-bang, diese Herren glühten nur für die Sache des Spongs.

Ich blickte aus der Loge hinaus. Die oben erwähnte deckellose Schüssel aus Stein-Brei war innen mit Sitzen angefüllt, und überall knäuelten sich Leute und brüllten immer noch. Herr Fung-si-bang erklärte mir, daß es zwar viele, ja unzählige Arten des Spongs gäbe, die alleredelste sei aber die, die ich jetzt dann zu sehen bekäme. Die sei überaus großartig. Das sei das Spong des Sponges überhaupt, und man verdiene am meisten Geld damit. Herr Fung-si-bang geriet dabei förmlich ins Schwärmen, auch die anderen Herren schwärmten, und der ganz Dicke küßte vor Begeisterung nochmals seinen rasierten Hund.

Es ging los.

Ich entdeckte, daß, was ich vorher gar nicht bemerkt hatte, ganz unten auf dem Boden der Schüssel ein kleines Stück ausgespart war. Dort saßen oder standen keine Spong-Leute, dort befand sich Gras. Es kamen dann eine Handvoll Männer in kurzen, bunten Hosen gelaufen und versuchten etwa zwei Stunden lang, den Rasen zu zertreten, und es gelang manchem, einem anderen das Bein zu stellen. Einmal gab einer einem anderen eine Ohrfeige, daß dem sein Musikinstrument aus dem Mund flog. Das gefiel mir sehr stark.

Im übrigen schrien und brüllten die Massen noch mehr als vorher. Sie entzündeten Feuerwerke und bliesen Trompeten. Ob sie damit die kurzhosigen Mißgeburten vom Rasen vertreiben wollten? Ich fragte erst Herrn Fung-si-bang, dann den Dicken mit dem rasierten Hund, aber ich bekam keine Antwort, denn beide und auch die anderen waren so voll aufgeregter Begeisterung, daß sie überhaupt nichts mehr wahrnahmen außer dem Spong.

Aus Höflichkeit sagte ich danach Herrn Fung-si-bang, daß mir das Spong fast genausogut gefallen habe wie das Singspiel auf dem Grünen Hügel. Das schien ihn – entgegen meiner Absicht – zu kränken. Wahrscheinlich betrachtet er in seiner kindergesäßartigen Einfalt das Spong wirklich als das Schönste auf der Welt.

*

Es machte mir dann nichts mehr aus, daß sich das Verhältnis zu Herrn Fung-si-bang merklich abkühlte, nachdem er bemerken mußte, wie wenig Begeisterung ich trotz seiner Bemühungen dem Spong entgegenbrachte. Wir sahen uns dann auch nicht wieder.

Merkwürdig erscheint mir allerdings, daß, nach allem, was ich vom Spong erfahren habe, der Spong auch als Maßstab für den Wert der einzelnen Völker gilt. Welches Volk über starken Spong verfügt, wird als höherrangig angesehen, weshalb das Spong auch von den Regierungen gefördert wird. Kann das *ein* vernünftiger Mensch einsehen? Vielleicht liegt im Spong die Erklärung für die breithinwirkende Verblödung der Großnasen.

X

Der Herbst ist gekommen und schon wieder fast vorbei. Es ist kalt, und es ist noch kälter in meinem Herzen. Ein großes Unglück ist geschehen. Herr Shi-shmi ist tot.

Er blieb, wie Du Dich vielleicht erinnerst, noch einige Zeit in Ju-xä, um dort einen anderen Geprüften Gelehrten seiner Zunft zu besuchen. Er kehrte mit dem Flug-Drachen zurück, und mit ihm flog schon die tödliche Krankheit, von der weder er noch irgendwer wußte, und die offenbar schon länger in ihm fraß.

Wir wollten uns, wie gesagt, in Lip-tsing treffen. Ich fuhr an dem vereinbarten Tag zum Drachenfeld hinaus – der eiserne Flug-Drachen kam an, viele Leute stiegen aus, nicht aber Herr Shi-shmi. Ich war noch nicht beunruhigt. Vielleicht, sagte ich mir, hat er die Abflugzeit versäumt, oder es wurde auch ihm ein falsches Berechtigungspapier ausgestellt, und er hatte nicht das Glück wie ich, in der bevorrechtigten Ungeheuer-Wichtige-Personen-Abteilung untergebracht zu werden. Ich fuhr also zurück ins Hong-tel (dort wohnte ich, hatte ja dank der Großmut Herrn Shi-shmis genug Geld; Frau Ya-na sah ich einmal auf dem großen Platz vor dem Ka-ma-Kopf, konnte mich hinter einer Säule verbergen), und nun erkundigte ich mich, gewandt in Luft-Drachen-Reisen, wie ich bin, wann immer einer davon anfaucht aus »Großer Apfel« kommend, fuhr mehrmals hinaus, aber Herr Shi-shmi kam nicht. So wurde ich doch unruhig, und ich rang mich durch, die Fernhinaussprechende Maschine zu bedienen, dieses Zaubergerät, mit dessen Hilfe man über weite Strecken mit anderen reden kann, und so erfuhr ich, daß Herr Shi-shmi, kaum, daß er in jener Stadt, in der er von dem einen Großen-Drachen, der übers Meer flog, in den Klein-

Drachen nach Lip-tsing umsteigen wollte, von plötzlichem niederwerfenden Übel ergriffen und nach Min-chen ins Hospital gebracht werden mußte.

Das alles erzählte mir Herr Te-ho, der eine Spieler der Göttlichen Vierheit, mit dem, das wußte ich von meinem ersten Besuch in dieser Welt her, Herr Shi-shmi befreundet ist. (Es war gar nicht einfach, die Fernhinwirkende Zahl ausfindig zu machen, die bewirkte, daß ich mit Herrn Te-ho sprechen konnte. Dies nebenbei.) Herr Te-ho, der im übrigen meine wahre Herkunft nicht kennt, erinnerte sich an mich, war erfreut, aber war sehr stark besorgt um den Zustand Herrn Shi-shmis, daß ich unverzüglich – nur mit meiner kleinen Tasche versehen, das inzwischen doch größere Gepäck ließ ich im Hong-tel zurück – mich in den Fahrbaren Eisenschlauch begab und mich nach Min-chen fahren ließ.

Ich eilte ins Hospital. Da lag Herr Shi-shmi in einem Bett. Er hatte die Augen offen, aber er erkannte mich nicht mehr. Ich sah den Tod, aber die Ärzte sahen den Tod nicht. Ich mietete mich in dem schon mehrfach erwähnten Hong-tel »Zu den Vier Jahreszeiten« ein, hatte aber keine Freude an dem schönen Palasthaus, auch nicht am Mo-te-shang-dong. Ich ging jeden Tag zweimal oder auch dreimal in das große, ebenfalls palastartige Hospital, in dem Herr Shi-shmi lag und mich nicht mehr erkannte. Er erkannte niemanden mehr, erfuhr ich. Er redete nichts, deutete nichts. Seine Nahrung bekam er eingeträufelt. Ab und zu stöhnte er. Obwohl er mich nicht erkannte, blieb ich viele Stunden bei ihm sitzen, hielt ab und zu seine Hand für eine Weile. Und ich sah den Tod. Aber sonst sah keiner von den Ärzten oder den Pflegerinnen den Tod.

In dem palastartigen Hospital befinden sich wohl Hunderte von Zimmern. (Es war ähnlich dem Hospital, in dem ich nach meinem Flug lag; Du erinnerst Dich an das denkwürdige Abenteuer am Anfang meines Aufenthalts.) Auf meinem Weg zum Zimmer, in dem Herr Shi-shmi lag (im

Gegensatz zu mir damals lag er allein im Zimmer), kam ich zwangsläufig durch viele Gänge und Korridore des Hospitals, und ich gestehe, daß ich, trotz meines Kummers, meine Blicke hin- und herwendete, denn mich interessiert auch, welche Rolle der Tod in der Welt der Großnasen spielt. Ich erkannte: der Tod spielt keine Rolle. In dem Hospital, in dem Aberhunderte von Kranken liegen, sterben, es ist nicht anders zu denken, jeden Tag einige davon. Dennoch ist der Tod nicht zu sehen. Der Tod wird verdeckt und vergraben. Man redet nicht vom Tod, man tut so, als gäbe es ihn nicht. Sie – die Großnasen – haben den Tod abgeschafft. Zu ihrem Kummer aber sterben sie doch. Da sprechen sie dann so geistleere Wörter wie: »er ist heimgegangen« oder »er hat das Zeitliche gesegnet« oder »er hat die Augen geschlossen« oder »er hat den Geist aufgegeben« – der üble Säufer Hei-tsi hat von einem seiner Kumpane gesagt, der, weil ausnahmsweise nüchtern, von einer Brücke ins trockene Flußbett gefallen ist und sich den Hals gebrochen hat, »er hat den Löffel abgegeben«. Der Tod ist in den Augen der Großnasen unfein. Ich habe das Gefühl, sie genieren sich zu sterben.

Herrn Shi-shmi ging es zusehends schlechter. Einer der Ärzte, ein an sich angenehmer Mann, der mich schon kannte, weil ich so oft bei Herrn Shi-shmi saß, sagte, nachdem ich bemerkte, ich sähe den Tod in seinem Gesicht: »Ach was, es geht uns schon besser, und wir rappeln uns schon wieder in die Höhe.«

So wurde Herr Shi-shmi mit Pillen vollgestopft, es wurde ihm die Haut aufgeschlitzt und Schläuche in sein Fleisch gesteckt, er wurde mit einem Eisenhut geziert, was ich zunächst für Aberglauben hielt: nein, das waren irgendwelche magnetischen Therapien. Alles nur, um den Tod, der ja schon dastand und sicher war, letzten Endes Sieger zu bleiben, noch eine Woche, noch einen Tag, noch eine Stunde – noch eine Minute zurückzuscheuchen. Von Würde ist nicht die Rede.

Am übelsten benehmen sich die Angehörigen. Ich habe es genau beobachtet: kaum ist einer krank und droht zu sterben, dann bringen sie ihn, so schnell es geht, ins Hospital und schicken Blumen. Alles andere wird den eisernen Hüten, den Schläuchen in der Haut, den Ärzten und den Pflegedamen überlassen. Es ist, als sei der Tod ein Schmutz. Die Ärzte und Pflegedamen werden dafür bezahlt – wie die Straßenkehrer, nur besser –, den Schmutz wegzuräumen. Ist gar nichts mehr, rein gar nichts mehr zu machen, und tritt der Tod dann dennoch unhaltbar hinzu, dann ergreifen die Angehörigen die Flucht, und erst beim Begräbnis spenden sie wieder Blumen.

Ich habe mit jenem freundlichen Arzt mehrfach und ausgiebig gesprochen. (Er hielt mich, ich widersprach nicht, für einen Kollegen aus dem Reich der Mitte.) Ich merkte, daß der Fortschritt (hörst Du? denkst Du daran, was ich über das Fortschreiten erzählt habe?) in der Heilkunst dasjenige ist, worauf die Großnasen am meisten stolz sind. Ich fragte den Arzt, wie viele Patienten, anteilig gesehen, mittels der ganzen Eisenhüte, Magnete, Pillen und Schläuche geheilt würden? Er sagte: ja, es seien aufs Ganze gesehen fünfundvierzig von hundert! »So, so«, sagte ich und verschwieg, daß nach unseren Untersuchungen die Schamanen der nördlichen Barbaren durch Umtanzen der Patienten mit Handtrommeln und kleinen Schellen die Quote von sechzig von hundert erzielen.

Wahrscheinlich liegt das daran, daß die Großnasen von innen heraus, von der Seele her krank sind. Nicht verwunderlich bei der irrsinnigen Welt, in der sie leben.

Aber eins muß man der großnäsischen Heilkunst lassen. Sie haben etwas erfunden, das ich, könnte ich es, in unsere Zeitheimat mitnähme: sie beherrschen die Kunst des Nangkong-seng. Das ist eine Art ungefährlicher Scheintod. Ich habe das in der Fernblickmaschine gesehen: sie reißen solchen entweder vollständig oder nur gliederweise Scheintoten die Zähne, ohne daß der Patient einen Mucks von Schmerz verspürt, sie säbeln ihnen kreuz und quer im Leib herum, und der Patient lacht nachher darüber; es wurde sogar gezeigt, daß einem mit zerstörtem Herzen ein anderes, neues Herz eingepflanzt wurde – man denke! Dies erscheint mir allerdings schon der himmlischen Ordnung zuwider – aber wer weiß, wie man denkt, wenn man selber in so einer Lage ist und durch derartige Kunststücke sein einziges Leben verlängern lassen kann. Aber eine Maschine, mit deren Hilfe man die von der Le-ning-Lehre verkümmerten Seelen der Os-si oder die vom Fortschreitungswahn zerfressenen Seelen der übrigen Großnasen durch neue solche ersetzen kann, haben sie noch nicht erfunden. Werden sie auch nicht, nehme ich an.

*

Ich erkannte sofort – es war am Ende des Mondes, den die Großnasen »den Achten« nennen, in Wirklichkeit, wieder so eine Verwirrnis, vom Jahresanfang gezählt der Zehnte –, daß der Tod Herrn Shi-shmi zu nahe gekommen war, als daß alle großnäsisch-ärztliche Kunst ihn noch zurückdrängen konnte.

Ich betrat leise wie immer den weißen, merkwürdig riechenden Raum. Mir fiel sofort ins Auge, daß man alle Schläuche aus dem Körper Herrn Shi-shmis entfernt hatte. Seine Nase war spitzig geworden, sein Schädel schien mir größer, seine Backen noch mehr eingefallen; es sproßte ihm ein weißer Bart. Eine Pflege-Dame saß im Zimmer und tat gar nichts. Sie sagte, als ich kam, es gehe »uns« sehr schlecht, dann eilte sie gleich hinaus.

Ich setzte mich ans Bett. Draußen begann der Tag hinwegzudämmern. Krähen flogen um einige Bäume, die schon fast ohne Laub standen. Ich habe oft beobachtet, daß sich die Natur befleißigt, unserer inneren Stimmung zu entsprechen.

Ich löschte das Licht. Was an Licht von draußen kam, war nicht mehr als ein graues Netz. So saß ich, als plötzlich die Tür aufging und ein kahlköpfiger Herr und ein junger Knabe eintraten. Es gibt zierende Glatzen, die eine unaussprechliche Würde verleihen. Von solcher Würde war der eintretende Herr. Es handelte sich nicht um meine Vision vom Tod – noch nicht. An seiner Tracht erkannte ich in dem Herrn einen Priester.

Ich stand auf, verbeugte mich zu einem Drittel und nannte meinen Namen. Der junge Knabe, der ein weißes Gewand trug und allerlei Geräte, machte Licht, und der Priester verbeugte sich leicht vor mir und nannte seinen Namen: Betswing-seng. Er schaute mich an und sagte dann: »Ich nehme an, Sie sind nicht mit Herrn Geprüften Gelehrten Shi-shmi verwandt?« »Nein«, sagte ich, »ich bin ein Freund.«

»Glauben Sie an diesen Gott?« fragte er dann sehr vorsichtig und höflich und hielt mir einen kleinen Gegenstand hin: zwei kleine Balken überkreuz befestigt, darauf jener angenagelte Ye-su.

»Ich bin Konfuzianer«, sagte ich leise, »und ich bin gewohnt, jede aufrichtige Gottesverehrung zu achten.«

Er verbeugte sich freundlich.

»Soll ich hinaustreten?« fragte ich.

Er nahm ganz zart meinen Arm und sagte: »Wir stehen am Bett eines guten Menschen – ich habe ihn wohl gekannt –, der im Begriff ist, in eine Welt hinüberzuwandern, die wir nicht kennen. Wer weiß die Wahrheit? Bleiben Sie ruhig hier.«

Er berührte Herrn Shi-shmis Haupt und Brust dreimal, sprach einige leise Gebete, salbte die Stirn des Sterbenden und wischte, wie er mir zuflüsterte, alle eventuell ungesühnten Untaten von Herrn Shi-shmis Seele hinweg.

Ich glaube aber nicht, daß auf Herrn Shi-shmis Seele irgendwelche Untaten lasteten.

Es war, alles in allem, eine stille und würdige Zeremonie, und ich bin froh, sie erlebt zu haben. Ich fürchte nur, daß nicht alle Priester der verschiedenen großnäsischen Religionen von der heiteren Güte des Ehrwürdigen Be-tswing-seng sind. –

Danach kam die Pflege-Dame wieder, und nach kurzer Zeit atmete Herr Shi-shmi etwas stärker, er hob das Kinn, öffnete die Augen und blickte zum Licht an der Decke. Dann entrang sich ein nicht zu verstehendes Wort in einer fremden Stimme seines Mundes, und dann starb er.

Ich hatte das Gefühl, er werde in dem Augenblick noch schmäler. Er lag, die Hände auf der Decke, wie ein braves Kind.

*

Einige Tage danach fand die Totenfeier statt und nachfolgend die Beerdigung. Die Toten werden hier – bewahre, daß der Tod das Haus der Lebenden betrete! – in eigens errichteten Totenhallen aufbewahrt und entweder dezent verbrannt oder, wie bei uns, in der Erde vergraben. Dazu dienen Friedhöfe, und die Gräber schmücken entweder behauene Steine oder überkreuzte Balken aus Eisen oder dergleichen, gelegentlich auch Statuen.

Es fanden sich viele Leute zur Totenfeier ein, aber ich kannte, außer Herrn Te-ho, keinen. Ich stellte mich ganz hinten hin und lauschte der Musik. Zu meiner Freude und, vielleicht, zur Freude der Seele des verewigten Herrn Shi-shmi erklang jenes Stück aus der Göttlichen Vierheit des Meisters We-to-feng, das er besonders geliebt hat. Herr Ehrwürdiger Priester Be-tswing-seng hielt eine schöne Rede, am Grab waren viele Blumen, und nach der Versenkung des Sarges kondolierten alle der Reihe nach igendwelchen schwarzgekleideten Menschen (denn Schwarz ist hier die Farbe der Trauer); auch ich kondolierte, obwohl ich das unbestimmte Gefühl hatte: eigentlich hätten jene Menschen mir kondolieren sollen. –

Nachdem die Trauerzeremonie vorbei war, nahm mich Herr Te-ho zur Seite und sagte, ich solle mich an eine bestimmte Dame wenden, es sei »etwas da für mich«. Ich ging also zu der Dame hin, es war eine jener Schwarzgekleideten, machte eine Ein-Siebtel-Verbeugung und nannte meinen Namen. Sie gab mir ein Zettelchen mit der Adresse eines Fürsprechers, zu dem ich bald hingehen sollte. Xié hieß der Fürsprecher.

*

Ich hatte ja – bei meinem ersten Aufenthalt – Herrn Shi-shmis verehrungswürdige Witwe-Mutter kennengelernt, und ich wußte von ihm, daß sie inzwischen bedauerlicherweise gestorben war. Was ich nicht wußte, war, daß Herr Shi-shmi zwei Schwestern hatte, die beide verheiratet in entfernten Provinzen lebten. Eine der Schwestern war jene Dame, die mir den Zettel gab.

So ging ich gleich am nächsten Tag zu Herrn Fürsprecher Xié. –

– ja, das habe ich wahrlich nicht erwartet. Zunächst war er kühl und sachlich, wenngleich nicht unfreundlich, fragte mich, ob ich Herr Kao-tai sei, der Freund des Verstorbenen; ja, sagte ich, dann gab er mir ein Kuvert aus Papier. Drin befinde sich, sagte Herr Xié, ein Schriftstück, das die Schwester Herrn Shi-shmis unter den Sachen ihres Bruders gefunden hat. Es betreffe mich. Ich nahm das Kuvert aus Papier, dankte und wollte gehen, da zog, plötzlich lächelnd, Herr Xié aus einer Lade seines Schreibtisches ein Buch, reichte es mir und sagte: »Kennen Sie das?«

Mir blieb fast das Herz stehen. Was war auf dem Deckel des Buches gedruckt? »Briefe in die chinesische Vergangenheit«.

»Sie heißen doch Kao-tai?« fragte Herr Fürsprecher Xié.

Ich schlug das Buch auf. Die Zunge schwoll mir im Mund, daß sie unbeweglich wurde. Es waren, abgedruckt in Übersetzung in die Großnasen-Sprache: meine Briefe an Dich – von damals! Mit meinem vollen Namen.

»Ich hoffe«, sagte ich, als meine Zunge wieder normales Ausmaß angenommen hatte, »daß nicht allzuviele dies gelesen haben.«

»Zehn mal hunderttausend solcher Büchlein wurden bis jetzt verkauft.«

»Oh – «, hauchte ich, aber: »Kao-tai ist ein äußerst verbreiteter Name«, log ich und verabschiedete mich schnell.

Oh, Dji-gu, bewahre diesen Bericht nicht zu gut auf, wenn Du ihn gelesen hast. Nicht, daß er auch noch als Büchlein unter die Großnasen verstreut wird. Sie sind so empfindlich, die Großnasen, und wahrscheinlich fühlen sie sich gekränkt von dem, was ich von ihrer Welt schreibe. Und ich will ja nicht unhöflich sein.

XI

Lieber Freund, Schlechtes und Gutes mischt sich, wie immer. Wie sagt der Weise am purpurnen Tor? »Kaum hältst du eine Schale reinen Wassers in Händen, fällt eine ekle Wespe hinein. Aber, wärst du nicht trotz Regens hinausgegangen, hättest du das Goldstück am Weg nicht gefunden.«[*] Wenn Du mich sähest, wie ich hier in einer Stadt namens Wo-tseng sitze, zerschmölzest Du vor Mitleid. (Aber vielleicht geht es Dir selber noch schlechter.) Neben mir schnarcht der blinde Lo-lang, und – Du ahnst es – es regnet.

Aber es ist wenigstens nicht sehr kalt, denn die Stadt Wo-tseng liegt südlich jenes so gewaltigen wie unschönen Gebirgszuges, der, nach Meinung mancher Großnasen, die bewohnbaren Gegenden dieses Erdteiles von den aus klimatischen Gründen unbewohnbaren trennt, und also die trüben Eiswinde des Nordens etwas abhält.

Ich sitze hier in einem Mu-seng, das an und für sich geschlossen ist, aber der schlaue Lo-lang... davon später. Wenigstens werden wir nicht naß. Es ist finster. Wenig Licht dringt von außen herein. Ich sitze in verkrümmter Haltung dort, wo es noch am hellsten ist, schreibe diese Zeilen nieder. Der Magen knurrt uns. Lo-lang ist eingeschlafen. Vielleicht, sagte er, träumt er, daß er satt wird. Das letzte, was wir gegessen haben, war eine in Eisen gewickelte Erbsensuppe, ohne das darum gewickelte Eisen, versteht sich, das benutzten wir als Eßgeschirr. Lo-lang erhitzte die Suppe in einem Park auf einem Feuer aus Reisig. Zum Glück waren wir fertig, als zwei Schergen kamen und uns verjagten.

Soweit die, wie Du siehst, weniger günstige Seite meiner

---

[*] Zitatenquelle nicht nachweisbar.

Situation. Die günstige Seite beruht auf der Hoffnung, und die Hoffnung geht zurück auf das, was in dem Dokument stand, das mir Herr Fürsprecher Xié gab.

Ich riß das Kuvert noch unter dem Tor auf, das zu dem mächtigen Fürsprech-Palast führte. In dem Kuvert erblickte ich, ich erkannte sogleich die Handschrift, einen Bogen Papier, von Herrn Shi-shmi beschrieben. Es war ein nicht zu Ende geschriebener Brief des Guten, an mich gerichtet, noch in Ju-xä verfaßt. Offenbar hatte er ihn auf seiner leider letzten Flug-Eisen-Drachen-Reise bei sich, wollte ihn in Minchen vollenden und an mich absenden. Was mich tief berührte, war, daß er schrieb: »Wir wollen uns ja in Lip-tsing treffen, aber zur Vorsicht, daß diese wichtige Nachricht Sie ja nicht verfehle, dieser Brief voraus.« Als ob er geahnt hätte...

In jener anderen Stadt, schrieb Herr Shi-shmi, in der er auch noch kurz weilte, um einen Kollegen zu treffen, habe er von eben jenem Kollegen erfahren, daß ich mit an Sicherheit grenzender Wahrscheinlichkeit in einer gewissen Stadt namens Lom, südlich des großen Gebirges, in einer ganz bestimmten Bibliothek – er bezeichnete sie mir genau – das Buch finden könne, das ich suche. Und nicht genug damit: der bedeutende Gelehrte »Hoher Pavillon« weile die nächsten Monde in Lom und könne mir behilflich sein.

*

Mit dieser Nachricht ließ ich mich also im Fahrbaren Eisenschlauch zurück nach Lip-tsing fahren. Es war mir klar, daß ich wieder ohne Geld dastand. Die großherzige Darlehensabmachung mit Herrn Shi-shmi war mit dessen Tod hinfällig geworden. Selbst wenn ich meine wahre Herkunft zu offenbaren bereit wäre: wer würde mir glauben? wer soviel Vertrauen in mich setzen?

Der Rest meines Geldes reichte eben für das Berechtigungspapier zur Reise zurück nach Lip-tsing. Ich holte im Hong-tel meine dort verbliebenen Sachen ab. Ich verkaufte alles, was ich nicht dringend benötigte – natürlich nicht die Zeitmaschine, obwohl ich dafür ein unvorstellbares Vermögen erlösen könnte. Ich will Dich nicht mit der Schilderung der mühsamen Wege langweilen, die ich machen mußte, um die Sachen zu verkaufen. Es war zum Teil mehr als demütigend, und was ich erlöste, war nicht viel. Immerhin aber eine eiserne Reserve für meine Reise nach Lom, die ich unverzüglich anzutreten bestrebt war, und sei es zu Fuß. –

Gibt es himmlische Fügungen? Ich schleppte mich, nachdem ich für – sozusagen – eine Handvoll Münzen meinen schönen, warmen und eigentlich ganz neuen Mantel verkauft hatte, in trüben Gedanken durch Lip-tsing, das mir in dieser Stimmung auch düster und trüb vorkam, da rief es auf einmal: »Du bist doch der unglückliche Chinese!«

Ich wendete mich um. Da saß ein Mensch in Lumpen gehüllt auf einer niedrigen Mauer: es war niemand anderer als der blinde Lo-lang.

»Wie hast du mich erkannt?« fragte ich.

»Ich rieche dich«, sagte er.

»Stinke ich?« fragte ich.

»Nein«, sagte er, »aber ich rieche alles und jedes, und wenn es noch so feine Gerüche ausströmt.«

»Bewundernswürdig«, sagte ich.

»Ja«, sagte er, »aber lieber wäre es mir, ich könnte sehen.«

»Verzeihung«, sagte ich und setzte mich zu ihm.

»Geht es dir schlecht?« fragte er.

»Riechst du das auch?« fragte ich.

»Gewissermaßen«, sagte er.

Und da geschah das Merkwürdige. Er faltete ein altes, nicht sehr appetitlich anzufassendes jener gefalteten Plakate, Tsei-tung genannt, auseinander und sagte: »Lies das.«

Es handelte sich um den Bericht einer Wunderheilung, die

sich in der Stadt Lom zugetragen hatte, und zwar mitten auf einem großen Platz inmitten einer tausendköpfigen Menge, die irgendeinen Gott anbetete, der erschienen war oder erwartet wurde. Ganz verstand ich die Einzelheiten nicht.

»Da will ich hin«, sagte Lo-lang.

»Ich will auch nach Lom«, sagte ich.

»Dann trifft es sich ja wunderbar. So weit kann ich bei allem guten Geruchssinn nicht gelangen.«

»Aber ich habe so gut wie kein Geld.«

»Macht nichts. Ich auch nicht. Du wirst mich führen, und ich werde dich hinbringen. Und jetzt nichts wie los.«

Ich erhob mich.

»Schneller«, sagte er.

»So eilig ist es nicht«, sagte ich.

»Doch«, sagte er, »in weniger als dreißig Herzschlägen kommt Hei-tsi. Ich rieche ihn schon. Und, sage ich dir, er ist nicht sehr gut auf dich zu sprechen, seit der Sache damals in der Schänke.«

Wir verdrückten uns also.

»Hei-tsi zu riechen ist wohl nicht schwer?«

»Das kannst du laut sagen.«

»Mußte er zahlen, damals?«

»Wovon denn! Nein – er hat die Einrichtung der Schänke zertrümmert, den ganzen Vorrat an belebenden Getränken ausgetrunken, nachdem er den Wirt an die Kleiderhaken gebunden hatte, und dann die Wirtin geschwängert – und anschließend haben ihn, bevor die Schergen kamen, die Stammgäste so verprügelt, daß er gewisse Geflügelte Wesen im Paradies genannten Großnasen-Jenseits frohlocken hörte.«

Ohne weitere Umwege begaben wir uns zum Palast der Fahrenden Eisenschläuche und bestiegen einen davon – ohne vorher ein Berechtigungspapier zu erwerben. »Wir brauchen sowas nicht«, sagte Lo-lang, »laß nur mich machen. Ich *rieche* die Kontrolleure.«

Die Fahrt war abenteuerlich. Wir mußten uns oft, wenn uns die Kontrolleure auf den Fersen waren, unter Bänken und dergleichen verstecken. Manchmal blieb nichts übrig, als fluchtartig den Eisenschlauch auf der nächsten Haltestation zu verlassen. Hie und da hatte ein Kontrolleur Mitleid, aber eher selten.

Auch in Min-chen mußten wir – ohnedies – den Eisenschlauch wechseln. Der nächste Eisenschlauch, der sich übers Gebirge und an atemberaubenden Abgründen vorbeischlängelte, war zum Glück so brechend voll von Menschen, daß den Kontrolleuren die Lust verging, sich die Berechtigungspapiere vorweisen zu lassen.

Vorher, in Nü-leng-beng – ich dachte mit Wehmut an Meister Mi-mang – fand Lo-lang in einem Abfalleimer ein nahezu unverzehrtes gebratenes Huhn. In Min-chen stahl er in einem unbemerkten Moment einem Händler vorbereiteter Lebensmittel, der ein Häuschen innerhalb der Eisenschlauch-Ruhe-Halle bewohnte, zwei mit Schinken belegte Weißbrotfäuste und zwei in Eisen gewickelte belebende Getränke; im Eisenschlauch schenkte uns, als wir das grausige Gebirge durchfuhren, eine unmäßig dicke, aber wohlmeinende Frau zwei Äpfel und eine jener berühmten gebogenen Gelbfrüchte, nach denen die Bewohner der Roten Provinz scharf hinterher waren. So und ähnlich fütterten wir uns recht und schlecht durch.

*

Die Stadt Bo-tseng nahm uns freundlich auf. Wir verließen zwar gezwungenermaßen den Fahrbaren Eisenschlauch, weil der Machtvolle Eisenschlauch-Kontrolleur hinter uns her war wie der Fuchs hinter der Gans, aber als wir ausstiegen, sagte Lo-lang, er rieche etwas, er wisse nur noch nicht was, aber er sei sicher, daß sich der Geruch auf etwas uns Günstiges beziehe.

Wir gingen also seinem Geruch nach. Er schlurfte, ich schleppte und führte ihn. Es war nicht stark kalt, regnete auch nur mäßig. Es war der siebente Tag, der Tag, an dem die Großnasen traditionsgemäß weniger oder gar nicht arbeiten und die Läden geschlossen sind (nicht die Schänken), und wenig Verkehr auf den Steinstraßen herrscht.

Wir kamen zunächst durch einen kleinen Park. Lo-lang roch etwas: »Da drüben liegt was, das ein anderer weggeworfen hat«, sagte er.

Ich wußte längst, wie eigensinnig der Blinde war, und obwohl ich keine Inklination zu Gegenständen habe, die andere Leute wegwerfen, drängte ich mich ins Gebüsch und fand einen noch etwas brauchbaren Schirm, wie ihn die Großnasen gegen Regen verwenden. Obwohl wir genug sperriges Zeug mit uns schleppten, bestand Lo-lang darauf, auch den Schirm noch mitzunehmen. Ich spannte ihn auf und hielt ihn über uns, so gut es ging.

Aber woher kam der uns günstige Geruch, den Lo-lang witterte? Es dauerte nicht lang, da führte uns Lo-langs Nase zum Hintereingang der Küche eines Hong-tel-Palastes, und die Küche war unbewacht. In Pfannen und Töpfen brutzelte es. Wir schlugen uns den Bauch voll, die Wärme war wohltuend. Lo-lang tat sich insbesondere an gewissen hier landestypischen Bällen von Kinderkopfgröße gütlich, er aß, glaube ich, vierzehn davon in großer Eile sowie drei gebratene Hühner. Ich kann nicht fassen, wie das alles in seinem Körper, der nicht recht viel größer ist als meiner, Platz hat.

Ich mahnte andauernd zur Vorsicht: sehr lang wird der Koch seine Küche nicht ohne Aufsicht lassen. Lo-lang beruhigte mich: der Koch habe einen friedlichen Geruch hinterlassen. Es könne uns nichts passieren.

Als der Koch dann tatsächlich kam, versteckte Lo-lang ganz schnell seinen letzten Hühnerknochen, an dem er genagt hatte, in der Hosentasche und fing ein herzerschütterndes Jammern an. Der mitleidige Koch schenkte uns daraufhin je ein Stück kalten, gebratenen Rindfleisches und einige Weißbrot-Fäuste.

Wir verdrückten uns schnell, hörten aber doch noch aus der Entfernung den Koch über uns undankbares Gesindel toben, nachdem er wohl entdeckt hatte, was wir vorher schon alles gefuttert hatten.

*

Die Stadt Bo-tseng liegt nicht nur schon jenseits des Großen Bergzuges, sondern auch – obwohl dort noch die mir geläufige Großnasen-Sprache vorherrscht – in einem anderen, offenbar mächtigen Reich, daß den seltsamen Namen »Eunuch« trägt.[*] Das Land sei berühmt für seine vielen Sehenswürdigkeiten, und Mu-seng gebe es zuhauf, sagte mir Lo-lang. Es ist vorgeschrieben, daß man bei allen Sehenswürdigkeiten oder Mu-seng gegen mehr oder weniger geringe Gebühr ein Berechtigungspapier erwirbt, bevor man es betritt. Nicht aber – und das wußte Lo-lang natürlich genau – im Lande »Eunuch«, sofern man über sechzig Jahre alt ist, und das bin ich ja. Lo-lang ist sogar über siebzig. So brauchten wir also nur unseren Pa vorzeigen, und wir gelangten ins Warme. Lo-lang schnarchte sofort, voll der kindskopfgroßen speckgespickten Bälle, wachte nur auf – er riecht auch im Schlaf –, bevor der Kustode herbeischlenderte, und tat dann so, als vertiefe er sich in die ausgestellten Bilder. Er verstand seine Blindheit so geschickt zu verbergen, daß der Wächter gar nichts davon bemerkte.

Gegen Abend wurde das Mu-seng versperrt, der Kustode entfernte sich. Zuvor machte er eine Runde durch alle Räume

---

[*] Offenbar verballhornt Kao-tai »Italia« zu tàl-jian, was soviel wie Eunuch bedeutet.

und schrie: »Achtung! Achtung! Das Mu-seng wird nun geschlossen.«

Wir versteckten uns in einem Kunstwerk, das zu unserem Glück aus einer sehr großen, mit Fett und Filz gezierten Kiste bestand. Da – auch das wußte Lo-lang – alle Mu-seng an dem auf den Feiertag folgenden Tag (den Tag des Mondes) geschlossen sind, können wir ungestört hier bleiben.

Lo-lang schläft fast die ganze Zeit. Es ist auch, wie gesagt, dunkel, aber wenigstens warm. Wir essen die Gaben des friedsamen Kochs. Eine wundersame Wasserquelle ist im Mu-seng vorhanden, wie fast überall (selbst im Fahrbaren Eisenschlauch). Ich schreibe diese Zeilen und nähre die Hoffnung, daß die Zeit meiner Verbannung sich ihrem Ende zuneigt.

Vorhin, als es noch hell war, betrachtete ich – im Gegensatz zu Lo-lang – die hier ausgestellten Kunstwerke wirklich. Ich habe ja schon im Zusammenhang mit Meister Mi-mang über die hiesige Kunstauffassung reflektiert. Hier hatte ich nun Zeit und Muße, Kunstwerke der Ernannten-Genie-Richtung zu studieren. Es müssen Meister des Pinselwerfens darunter sein. Ein Bild zeigte Kreise in rot und grün über- und nebeneinander, daß mir übel wurde. Auf einem Bild saß, immerhin erkennbar dargestellt, ein schlammfarbener Mann mit Fingern und Zehen von Gurkengröße.

In anderen Räumen aber fand ich plötzlich und zu meinem Erstaunen Bilder, die mich ansprachen. Kleine Täfelchen wiesen darauf hin, daß der betreffende Meister Fong-gung-gel hieß und noch unter den Lebenden weilt. (Der Himmel gebe ihm ein langes Leben.) Die Bilder sind breit und tief. Sie erstaunen dich, und du kannst in ihnen, wenn man so sagen kann, spazierengehen. Alles was der verehrungswürdige Fong-gung-gel auf seinen Bildern darstellt, gibt es in der Wirklichkeit, aber seine Wirklichkeit ist anders als die gemeine solche rundum, und aus den einzelnen Teilen seiner Wirklichkeit setzt er eine neue, sozusagen schwebende Wirklichkeit zusammen, die, wenn du sie betrachtest, bewirkt, daß du meinst, auch du hebest dich etwas vom Boden ab.

Da waren drei Bilder: zwei stellten jeweils einen ernsten Kahlkopf dar, der als Berg aus üppigem Wald ragt, einmal bei heiterem Wetter, einmal bei Ungewitter, von Blitzen umzuckt. Das dritte Bild: ein Palastturm in Form einer weißen Hand, davor eine Schnecke mit menschlichem Antlitz, dahinter zerknäuelte Fahrbare Eisenschläuche.

Ich stand lang vor den Bildern, gedenke sie mir morgen bei Tageslicht nochmals zu betrachten. Freilich ist zu bemerken – das Gewitter auf dem einen Bild, die offensichtlich eben erfolgte Zerstörung der Fahrbaren Eisenschläuche auf dem anderen Bild –, daß auch der Meister Fong-gung-gel zu jenem allgemein zu beobachtenden Hang großnäsiger Künstler zu schlechtem Wetter und zu Katastrophen neigt. Aber ich versuche, angesichts des sonst günstigen Eindrucks der Bilder auf mich, diesem Phänomen gerecht zu werden. Es scheint mir, so habe ich überlegt, daß die Künstler der Großnasen diese abgründigen Gegenstände wählen, weil sie mit ihrer Kunst nicht so sehr auf Erbauung und Erheiterung, sondern auf das Auslösen heftiger Gemütsbewegungen im Beobachter zielen. Warum das so ist, kann ich nicht ergründen. Ist es so, daß der Künstler, wenn er das Unwetter darstellt, dem naturgemäß in geschlossenen Räumen und im Trockenen befindlichen Beschauer das wohlige Gefühl mitteilen will, daß er, der Beschauer, bei gleichzeitiger heftiger Gemütsbewegung nicht im Regen steht? Oder Mitleid mit demjenigen erwecken, der dem Unwetter, der Katastrophe ausgesetzt ist? Will er, daß sich die Seele des Beschauers aufwühlt, daß er aufgewühlt davongeht, daß sich die aufgewühlte Seele nur langsam wieder setzt und dabei ungesunden Absud ausscheidet? Möglicherweise gehört dazu auch die nicht zu verkennende Vorliebe der großnäsischen Künstler für die Darstellung von Menschen im nackten Zustand. Auch das ist sehr merkwürdig. Zielt der Künstler darauf ab, daß der Betrachter sich wohlig bewußt wird, daß *er* Kleider trägt?

Ja – das ist alles dunkel, aber die Bilder des Meisters Fonggung-gel sind für mich ein Gewinn, den ich aus der Stadt Botseng mitnehme. –

Lo-lang schnarcht. Er hat sich auf ein größeres, weiches Kunstwerk gelegt und unter anderem mit meinem Mantel zugedeckt. Es sei ihm gegönnt. Es ist nicht kalt hier. Ich werde mich in eine Ecke kringeln, bin es ja leider gewohnt. Es ist eigentlich schon zu dunkel zum Schreiben. Ich hoffe, Du kannst die Zeilen dereinst lesen. (Ich hoffe vor allem, ich werde überhaupt Gelegenheit haben, Dir die Blätter auszuhändigen.)

Gute Nacht. Ich denke an Dich, mein Freund, an meine zärtliche Shiao-shiao (wo wird sie sein!) und an meine geliebte Zeitheimat. Was man entbehrt, schätzt man doppelt.

XII

Ich habe früher schon darüber nachgedacht, wer die Großnasen-Welt regiert. Die Kanzler und Mandarine nicht.

Wer regiert dann? Das Volk, wie es so schön in leicht tränenumflorten Reden heißt, die in der Fernblickmaschine abgesondert werden, wenn wieder einmal dies und jenes durcheinandergeraten ist, meist durch Korruption der Kanzler und Mandarine und Minister? Unfug: wie soll ein ganzes Volk regieren, wenn schon zwei selten einer Meinung sind.

Wer regiert dann? Die Herren der Großen Schmieden? Die meist selbsternannten Wohltäter der Arbeiterschicht? Die Generäle? Die Kaufleute, die hier bei den Großnasen unverdientermaßen so hoch geachtet werden? Die Bonzen der Großen Geldverwahrungspaläste? Ja, die alle schon eher, aber eigentlich auch nicht.

Es regiert – ja, wie soll ich Dir etwas erklären, was ich selber nicht verstehe. Übrigens versteht es die Hälfte der Großnasen auch nicht. Es ist förmlich so, daß man die Großnasen-Welt in zwei Teile einteilen kann: in solche, die ES verstehen – meist die Jüngeren – und in solche, die ES nicht oder nicht mehr verstehen. »Nicht mehr«: denn ES ist in einem derart rasanten Vormarsch begriffen, daß die Älteren und zunehmend auch die Halb-Älteren auf der Strecke bleiben. Der Vormarsch – den die Großnasen natürlich als Fortschreiten bejubeln – ist so rasant, daß die Großnasen-Welt von vor fünfzehn Jahren, als ich das erste Mal hier war, nicht mehr eigentlich die Großnasen-Welt von heute ist. Eine Großnase von vor fünfzehn Jahren, die mit einer Zeitmaschine reist, so habe ich das Gefühl, verstünde die neue Welt fast so wenig wie ich.

Aber was ist das ES, das die Welt nunmehr regiert?

Ein Gespenst in Form eines nicht sehr großen Kastens mit allerlei rätselhaften kleineren Geräten ringsum, die mit dem Kasten durch dünne Schläuche zusammenhängen.

Und was ist der ES-Kasten?

Der ES-Kasten kann alles. Er kann rechnen, schreiben, merkt sich alles, gibt alles wieder, weiß alles, kennt alle Bücher, und manchmal schwimmen auf seiner grau-silbernen Hauptscheibe täuschend echte Fische hin und her.

Das alles kann der ES-Kasten.

Es gibt nichts in den Gebräuchen und Hantierungen der Großnasen, wo sie nicht ihren ES-Kasten befragen, der übrigens nicht ungern auch lange Papierfahnen mit allerlei Zeichen ausspuckt. Das kann er nämlich auch.

Und es dreht sich alles um den ES-Kasten. Wenn du ein Berechtigungspapier für den Fahrbaren Eisenschlauch erwerben willst, befragt die Hochmögende Eisenschlauch-Dame zuallererst den ES-Kasten. Wenn du in einem Laden etwas kaufst, sei es ein jin* Brot, sei es eine Hose, befragt der Ladenbesitzer zu allererst den ES-Kasten. Wenn du in einem der Geldaufbewahrungspaläste Geld wechseln willst oder dergleichen, setzt der Strenge Geld-Herr (oder auch nur ein untergeordneter Geld-Knecht) unverzüglich den ES-Kasten in Betrieb. Als ich mit Herrn Shi-shmi in jener großen Bibliothek in der Hauptstadt des Reiches Ju-xä nach dem bestimmten Buch fragte, in dem die Ereignisse in unserer Zeitheimat genau genug verzeichnet sind, um festzustellen, ob den grindigen Kanzler La-du-tsi endlich die gerechte Strafe ereilt hat, ging die gewaltige Bücherherrin nicht etwa zu einem Regal, um zu suchen. Nein, sie befragte den ES-Kasten.

Und so weiter. Eins allerdings muß ich sagen: ich weiß noch nicht, ist diese ES-Kasten-Verknüpfung aller großnäsischen Angelegenheiten zu verachten oder zu bewundern?

---

* 1 jin = ca. 1/2 kg

Du mußt Dir die Sache ungefähr so vorstellen: Du kennst jene kleinen Rechengeräte mit Kugeln, die bei uns in Gebrauch sind? Ja. So ein Rechengerät haben die Großnasen verfeinert. Sie haben es mit Magnetkraft ausgestattet, und sie haben das Gerät in den Stand gesetzt, mittels gewisser Manipulationen ein sozusagen hinter dem sichtbaren Gerätchen stehendes Gerät zu erschaffen, das Komplizierteres errechnen kann, ja, das, wenn ein Befehl vom Ersten kommt: »Erfinde ein noch komplizierteres Gerät!«, dies auszuführen imstande ist, und das noch kompliziertere Gerät hat dann quasi schon von allein ein noch viel komplizierteres Gerät erfunden – alles unsichtbar im gespenstisch kleinen Kästchen –, die ungeheure komplizierte Vorgänge in blitzartiger Geschwindigkeit ersinnen und errechnen können, und so fort bis ins tausendfach komplizierte Gerät, das – beinahe? ganz haben sie es noch nicht geschafft – selber denken kann. Und das ganz Wunderbare: alle ES-Kästen in der ganzen Welt (selbst im Reich der Mitte) sind miteinander verbunden, ein Netz von so komplizierten wie unsichtbaren Fäden verknüpft alle ES-Kästen über Land und Meer, und alle können alles. Sogar singen, wenn man will.

(Aber das Schönste ist doch, ich habe es immer im Hongtel bewundert, wo natürlich auch nichts geht, ohne daß der ES-Kasten befragt wird, wenn auf dem grau-silbrigen Fensterchen die hin- und herschwimmenden bunten Fische erscheinen. Ich habe gefragt: leider haben die Fische gar keine Bedeutung. Sie dienen nur zur Schonung der Regenschirme – ? – Frage mich nicht, was es damit wieder für eine Bewandtnis hat.)

Aber, wie gesagt, es ist die Frage, ob man das ganze nicht bewundern soll? Bei näherem Nachdenken muß man zugeben, daß sich dieses gewaltige, unsichtbare Netz schon zu etwas wie einem übermenschlichen Welt-Gehirn ausgewachsen hat. (Freilich ist es, wie bei allem, je komplizierter desto anfälliger geworden. Vor einiger Zeit, hat mir Herr Shi-shmi erzählt, sei aufgrund einer zufälligen oder bösartigen Fehlentwicklung ein Fremdkörper in das Welt-ES-Kasten-System eingedrungen. Um ein Haar wäre das System und damit ohne Zweifel die ganze Großnasen-Welt, insbesondere das Geldaufbewahrungswesen, zusammengebrochen. Im letzten Augenblick wurde es verhindert. Ich stelle mir vor, daß ein überaus erfahrener ES-Kasten-Spezialist mit spitzem Finger an der richtigen Stelle hineingelangt, das Ungeziefer herausgenommen, auf den Boden geworfen und zertreten hat.)

Ist also das ES-Kasten-Wesen zu verehren? In gewisser Weise wohl. Aber es scheint mir so zu sein wie mit allen Lebenserleichterungen der Großnasen: an sich sind sie gut, den Großnasen dienen sie aber hauptsächlich dazu, Unfug anzurichten, *weil es so leicht geht.*

※

Das alles ist mir natürlich schon länger aufgefallen; ich habe es nur nicht eher geschrieben, obwohl es so wichtig ist, weil ich lang gezweifelt habe, ob ich überhaupt in der Lage sein werde, Dir in der Zeitheimat etwas zu erklären, was das Fremdeste und Unverständlichste überhaupt ist, was einem hier begegnen kann, und auch, weil sich bisher kein Zusammenhang für den Versuch dieser Schilderung ergeben hat. Jetzt hat sich einer ergeben, und er hat Lo-lang und mich bis in eine Stadt geführt, die schon nahe dem Ewigen Lom liegt, und diese Reise war angenehmer als die Reise bis nach Botseng.

Wieder sitze ich in einem Mu-seng. Wieder schnarcht der gute Lo-lang. Solange es hell war, bin ich herumgewandert und habe mir die Bilder angesehen. Es handelt sich hier um ein unglaublich großes Mu-seng, und die Zahl der Bilder ist unübersehbar. Wieder finden sich zahlreiche Katastrophen unter den Bildern, auch zahllose Darstellungen der beliebten Ma-yi-ya mit dem fetten Kind. Auch zahllose unbekleidete Damen fand ich abgebildet, zum Teil angenehm anzuschauen, wenngleich sie meist große Füße haben. Sogar einige liebliche Darstellungen sind vorhanden. Namentlich *ein* Maler hat mich beeindruckt, der offenbar von den Katastrophen etwas abgerückt ist. Sein Name ist unaussprechlich und in unserer Schrift nicht wiederzugeben. Ein Bild zeigt eine überaus reizvolle, selbstverständlich splitternackte Dame, die ihre Hauptblöße mühsam mittels ihrer langen Haare bedeckt und im Übrigen in einer Muschel im Meer schwebt. Vermutlich eine Allegorie. Nur: für was? Ich sähe darin eine Allegorie für die immerwährende Gültigkeit des Schönen und eine Aufforderung an die Menschen, dabei zu bleiben. Aber wer weiß, was die Großnasen aus dem Bild alles herauslesen.

Im übrigen sprechen die Leute hier wiederum eine andere Großnasen-Sprache, völlig unähnlich der Sprache der Großnasen jenseits des Gebirges oder im Reiche Ju-xä. Aber es behindert Lo-lang keineswegs. Er beherrscht ein paar Brocken dieser Sprache, und ich habe auch schon das eine oder andere mir angeeignet. »Außerdem«, sagt Lo-lang, »ist der Geruch überall gleich. Da kann uns nichts passieren.«

Inzwischen ist es dunkel geworden. Dennoch schreibe ich das alles, denn an einer Stelle des Mu-seng leuchtet von draußen eine Straßenlaterne herein, so daß es fast taghell ist. –

Wir begaben uns also am dritten Tag, nachdem das Museng zu Bo-tseng wieder geöffnet wurde (»– überflüssig, für so etwas Hirnschmalz aufzuwenden« sagte Lo-lang, und wir versteckten uns nicht, sondern gingen frech am Kustoden, der aufschloß, vorbei nach draußen) zur Halle der Fahrbaren Eisenschläuche, aber, was für ein Schreck: es fuhr keiner. Es gibt nämlich hier im Lande eine Art öffentliches Spiel, dessen Regeln ich nicht ganz verstanden habe, das darin besteht, daß abwechselnd einmal die, sagen wir, Bäcker, dann die Droschkenfahrer, dann die Schneider, dann die Geld-Knechte usw. der übrigen Bevölkerung verkünden: »Heute haben wir keine Lust zu arbeiten.« Es gibt dann jeweils ein großes Durcheinander (was aber bei dem allgemeinen Durcheinander in diesem Land nicht sonderlich auffällt), einen Tag lang schimpft man auf die Bäcker, Ärzte oder wer immer seinen Arbeits-Unlust-Tag verkündet hat, und am nächsten Tag ist alles vergessen, und es arbeiten vielleicht die Mächtigen Lenker der Eisenschläuche nicht.

So war es ausgerechnet an jenem Tag.

Die Eisenschläuche lagen kläglich vor der Palast-Halle, die Eisenschlauch-Herren zuckten nur mit den Schultern und sagten: »Vielleicht morgen.«

Wir gingen wieder vor die Halle hinaus. Es begann zu regnen. Ich verhehle nicht, daß ich unwirsch war: »Und was jetzt, Lo-lang? Ins Mu-seng können wir nicht zurück, weil wir kein Hirnschmalz angewendet haben –«

»Nur mit der Ruhe«, sagte Lo-lang und schnupperte herum. »Was ist das da drüben?« fragte er dann.

»Ein roter A-tao-Wagen.«

»Das rieche ich selber. Was hat er für eine Nummer?«

(Du mußt wissen, daß A-tao-Wagen, wie alles und jedes bei den Großnasen, unterschiedlichste Nummern haben. An der Form der Tafel, auf der die Nummer am A-tao-Wagen angebracht ist, kann man unter anderem erkennen, aus welcher Stadt und welchem Land der betreffende A-tao-Wagen stammt.)

Ich ging hinüber und betrachtete den Wagen, dann kam ich zu Lo-lang zurück und sagte: »Aus Min-chen.«

»Dacht' ich's mir doch«, sagte Lo-lang.

Es begab sich aber, daß der A-tao-Herr, ein junger, sehr schlanker und hochgewachsener Mann, aus der Halle getreten war und mich beobachtet hatte. »Ist was?« fragte er.

Ich wollte eben stotternd irgendeine nichtssagende Erklärung abgeben, als mir Lo-lang zuvorkam und mit seiner süßesten Stimme den jungen Mann ansäuselte: »Wohin fahren der Großmächtige Herr?«

»Ich bin nicht großmächtig«, sagte der Herr, »und ich fahre nach Hua-ch'eng.«

»Das trifft sich vorzüglich«, sagte Lo-lang, »und Sie haben vielleicht zufällig zwei Plätze frei?«

Der freundliche Herr – er war, ungelogen, wohl doppelt so groß wie ich – lachte und sagte: »Steigt ein.« Ich durfte mich vorn zu Herrn Ya-kong setzen (so hieß er, erfuhr ich dann), Lo-lang ringelte sich auf dem hinteren Sitz zusammen und schlief ein, noch ehe sich der A-tao-Wagen in Bewegung setzte.

*

So lenkte der Herr Ya-kong furchtlos seinen gefälligen A-tao-Wagen auf wunderbaren, breiten Steinstraßen gegen Süden, erst noch durch das wolkenverhangene Gebirge, dann, als diese düsteren Felswände zurücktraten, auch das Wetter freundlicher wurde, über weite, spätherbstliche Felder, vorbei an glänzenden Städten, über mehrere breite Flüsse, unter Überwindung eines weiteren, nicht so düsteren Gebirges endlich in die bei sonnigem Wetter gewiß herrliche, von Zypressen gesäumte Stadt Hua-ch'eng, die außerordentlich alt und ruhmreich ist.

Ab und zu machten wir halt. Da wachte auch Lo-lang auf, vermutlich, weil er im Schlaf roch, daß uns Herr Ya-kong zu einem Imbiß einlud. Im übrigen schlief Lo-lang so gut wie die ganze Zeit, und ich unterhielt mich mit dem jungen Herrn Ya-kong.

Um unangenehme Fragen an mich zu verhindern, habe ich es mir angewöhnt, bei solchen oder ähnlichen Gelegenheiten selber viele Fragen zu stellen, und da, wie ich beobachtet habe, alle Großnasen lieber reden als zuhören, ist man vor Fragen an einen selber ziemlich sicher. So dachte ich auch hier und fragte. Ich erfuhr, daß Herr Y-kong ein Geprüfter Experte der ES-Kasten-Kunst ist, und daß er auf dem Weg zu einer – ohne Zweifel glänzenden Versammlung von ES-Kasten-Künstlern in eben der Stadt Hua-ch'eng war, wo diese Geprüften Experten ihre Erfahrungen austauschen und neue Komplikationen ersinnen. Ich fragte und fragte, und Herr Ya-kong, dem sicher der Titel Ya-kong-tse zusteht, antwortete mir viel und ausführlich, und alles, was ich oben – übrigens, daß ich das gleich hier hinzufüge, in der Marmor-Halle eines schönen Hong-tels mitten in Hua-ch'eng – über die Kunst der ES-Kasten niedergeschrieben habe, erzählte und erklärte mir Herr Ya-kong-tse.

Als Herr Ya-kong-tse seinen A-tao-Wagen durch die zwar schönen, aber engen, überaus belebten Gassen der Stadt zwängte, um einen A-tao-Stall und sein Hong-tel zu suchen, fragte er mich, wohin wir weiterwollten.

»Nach Lom, der Ewigen Stadt«, sagte ich.

Ob wir nicht einige Tage in Hua-ch'eng verbringen wollten, fragte er, er habe – gib acht! lieber Dji-gu – eine Frage an mich.

Da waren wir an dem Hong-tel angelangt, das er suchte. Er stellte seinen A-tao-Wagen mitten auf die Straße, wodurch sofort ein laut lärmendes Geknäuel Hunderter anderer A-tao-Wagen unterschiedlicher Größe entstand, und er sagte: wir sollten schon einmal unsere Sachen nehmen, er komme gleich wieder, und verschwand im Hong-tel. (Es war das gleiche, in dessen Marmorhalle ich jetzt sitze und schreibe. Lo-lang befindet sich oben im Zimmer und tut – was? Ja, Du hast es erraten.)

Nach kurzer Zeit kam ein Mensch, setzte sich in Herrn Ya-kongs A-tao-Wagen und war nahe daran, damit zu entschwinden, aber ich krallte mich sofort am Kragen des Mannes fest und biß ihn in die Hand, es gab ein großes Geschrei, Herr Ya-kong kam heraus, lachte, gab dem (nur leicht!) Gebissenen ein Trinkgeld und klärte mich auf, daß das ein Diener des Hong-tels sei, der das A-tao in seinen Stall verfüge.

Ich bat den Menschen, obwohl er nur ein Diener war, mit zwei Ein-Siebentel-Verbeugungen um Entschuldigung. (Dennoch mustert er mich böse, jedesmal, wenn ich ihm im Hong-tel begegne. Aber er ist offenbar von so untergeordnetem Rang, daß er nichts gegen mich unternehmen kann.)

Noch vor diesem Ereignis aber, als wir kurze Zeit in dem Lärm vor dem Hong-tel standen, zischte mir Lo-lang zu: »Vorsicht!«

»Wovor?« fragte ich.

»Vor dem langen Dünnen.«

»Wieso?«

»Es gibt Schwierigkeiten, rieche ich.«

»Diesmal«, sagte ich, »irrst du dich.«

Ich weiß nicht, ob er recht hatte – oder ich, letzten Endes.

*

Herr Ya-kong-tse hatte das Zimmer, in dem er während der Hochmögenden Experten-Versammlung zu nächtigen gedachte, natürlich von Min-chen aus mittels seines ES-Kastens schon bestellt. Er befragte die Hong-tel-Maid, die hinter einem Tresen stand, ob für uns beide, Lo-lang und mich, auch noch ein Zimmer frei sei, worauf die Hong-tel-Maid *ihren* ES-Kasten befragte und bejahte. Herr Ya-kong-tse versicherte dann der Hong-tel-Maid (oder besser gesagt dem ES-Kasten), daß er die entsprechende Rechnung übernehmen werde, und so dürfen wir in einem ordentlichen Bett schlafen. Lo-lang tut dies praktisch ununterbrochen seitdem.

Ich aber unterhielt mich unten in der Marmorhalle mit Herrn Ya-kong-tse und erwartete seine angekündigte Frage.

»Woher kommen Sie, geehrter Herr, wenn ich so neugierig sein darf?« fragte er nach einigen Höflichkeitsfloskeln.

»Aus dem Reich der Mitte«, sagte ich.

»Das *sehe* ich, wenn Sie mir diese Bemerkung erlauben – « (er war, wie Du siehst, sehr höflich), » – aber ich habe einen gewissen Verdacht.«

Da wurde mir mulmig. Ich stotterte irgendwie herum, aber er unterbrach mich: »Sie heißen nicht etwa Kao-tai?«

Also hatte Lo-langs Geruchssinn doch recht. Ich stotterte wieder.

»Sie sind zurückgekehrt?« fragte er.

Ich war, da meine Reaktion jedem vernünftigen Menschen aufgefallen wäre, in die Enge getrieben.

»Ich vermute es«, sagte er in sehr ruhigem Ton, »weil Sie so ganz unwissend auf dem Gebiet des ES-Kastens sind. Sie sind also Kao-tai?«

Da dämmerte es mir: »Sie kennen das Buch?«

»So ist es«, sagte er, »und ich habe eine gewisse Beziehung, eine sozusagen enge verwandtschaftliche Beziehung zu dem Buch, die jetzt hier nichts zur Sache tut. Sie sind es also?«

Ich senkte den Kopf.

»Sie können sich auf meine Verschwiegenheit verlassen«, sagte er, »ich würde nur gerne Ihre Zeitmaschine sehen.«

Ich musterte Herrn Ya-kong-tse. Es ist für unsereinen sehr schwer, in den Gesichtern der Großnasen zu lesen. Alle Gesichter schauen gleich aus. Selbst für mich, der ich ja nun einige Erfahrung besitze, ist es nicht einfach, ihre Mienen zu entziffern. Aber das Gesicht Herrn Ya-kong-tses schien mir doch gleichermaßen sanft und bestimmt zu sein, daß ich an seiner Aufrichtigkeit nicht zweifelte.

Ich ging hinauf und holte die Zeitmaschine.

Herr Ya-kong-tse drehte sie in der Hand herum, wunderte

sich vor allem, daß sie so klein ist, erklärte, daß er sich, als ES-Kasten-Experte, im Grunde genommen auch mit Wunderdingen beschäftigt, gerade deshalb besonders dafür interessiere.

Aber wie es komme, daß sie so klein sei?

Nun, ich erklärte ihm, daß die hauptsächliche Wirksamkeit der Zeitmaschine im Mathematischen liege und so fort. Ich brauche Dir das nicht zu schildern, weil Du es ja am besten kennst.

Ich steckte die Maschine in ihr Futteral, und Herr Yakong-tse lud mich ein, mit ihm zum Essen zu gehen. Das Essen in diesem Land, sagte er, sei das beste der ganzen Welt (was ich in gewisser Weise bestätigen kann, obwohl – worauf ich zunächst gehofft hatte – auch hier gebratene Pekinesenleber unbekannt ist), und ich sei von ihm eingeladen.

So saßen wir in einem Speisehaus, aßen, und ich mußte ihm erzählen, wie es gekommen ist, daß ich, und warum ich unter so elenden Umständen in die hiesige Welt heraufgekommen bin. Ich erzählte ihm auch, warum ich in die Ewige Stadt Lom fahren wolle, daß ich hoffe, dort zu erfahren – und so weiter.

»Hm«, sagte er, »Sie brauchen eigentlich gar kein gelehrtes Buch suchen. *Sie* können zwar nicht zur kurzen Spähung zurückspringen, weil man Sie als bedeutenden Justiz-Mandarin und Protektor der Dichtergilde neunundzwanzig moosbewachsene Felswände zu gut kennt. Aber ich?! Ich könnte doch – «

»Und wie wollen Sie etwas erfahren, wo Sie, trotz aller Ihrer ans Überirdische reichenden Fähigkeiten, leider nur wenig die Sprache des Reiches der Mitte – aus hiesiger Sicht des *alten* Reiches der Mitte – beherrschen?«

Er lachte. »Freilich – ich beherrsche sie nicht nur wenig, ich beherrsche sie gar nicht. Ich habe mich in Gedanken vergaloppiert. Heutzutage braucht man, selbst im Reich der Mitte, nur *eine* Sprache, die des Reiches Ju-xä – die versteht man mehr oder weniger überall – Sie haben also recht – nur –«

Und dann rückte er mit seinem eigentlichen Anliegen heraus.

*

So vermietete ich Herrn Ya-kong-tse die Zeitmaschine. Daß ich es nicht gern tat, glaubst Du mir wohl. Aber erstens war er ja unser Wohltäter, und zweitens konnten wir das Geld gut gebrauchen, das Herr Ya-kong-tse bot und das ich – eigentlich geniere ich mich deswegen, aber was vermag die Not nicht alles – endlich doch annahm. (Lo-lang schwindelte ich vor, um nicht den wahren Sachverhalt preisgeben zu müssen, ich hätte es von Herrn Ya-kong-tse geliehen. »Dem Geruch nach hätte ich ihn für gescheiter gehalten«, sagte Lo-lang, »kriegt er das Geld jemals von dir zurück?«)

Ich erklärte also Herrn Ya-kong-tse – wir begaben uns zu dem Zweck in einen großen Tempel, in dem es ruhig und still war – den Mechanismus, und daß er entweder tausend Jahre in die Vergangenheit oder – mit nur bedingter Genauigkeit – zwanzig oder dreißig Jahre oder sogar mehr Jahre, bis zu hundert vielleicht, in die Zukunft fahren könne.

Er wollte in die Zukunft.

Am nächsten Tag, sagte er, finde ein großes Gespräch zwischen den Gelehrten der ES-Kasten-Wissenschaft statt, und da wolle er die Kollegen mit Prophezeiungen verblüffen; er werde sich nämlich in der Zukunft nach dem seinerzeitigen Stand der ES-Kasten-Wissenschaft erkundigen und die Kollegen mit diesen Erkenntnissen in Erstaunen setzen, welche Erkenntnisse er als Phantasie oder als Traum ausgeben werde.

»Fahren Sie nicht zu weit!« warnte ich.

»Hundert Jahre?« sagte er.

»Sind Sie sicher«, fragte ich, »daß die Welt in hundert Jahren noch steht? Ein Freund, der verehrungswürdige, leider viel zu früh verstorbene Geprüfte Gelehrte Herr Shi-shmi, Sie werden ihn nicht gekannt haben, hat immer in einem gewissen Buch gelesen...«

»Ich kenne Herrn Shi-shmi aus Ihren Briefen, aber was war das für ein Buch?«

»Es gibt, sagte mir Herr Shi-shmi, eine Sammlung ganz heiliger Bücher, und es gibt eine Sammlung nicht ganz so heiliger Bücher, die sei aber fast noch interessanter. Aus einem dieser Bücher hat mir Herr Shi-shmi oft vorgelesen. Ich vergesse es nicht. ›Denn die Welt hat ihre Jugend verloren, die Zeiten nähern sich dem Alter.‹ Und ein Engel spricht zu einem Propheten: ›Denn schon eilt der Adler heran, den du in der Vision gesehen hast.‹«

Herr Ya-kong-tse versprach, nicht weiter als siebzig Jahre zu fahren, und als er schon im Begriff war, abzufahren, rief ich:

»Und noch eins, hundertmal gesegneter Herr Ya-kong-tse, der Rat eines alten Mannes: versuchen Sie nicht, den Tag Ihres Todes herauszufinden. Wer den Tag seines Todes kennt, lebt schon nicht mehr.«

»Hm, ja«, sagte er, »so gesehen erhält uns nur der Tod am Leben. Aber ich werde Ihren Rat befolgen.«

Er kam nach etwa zwei Stunden wieder. Er war nicht weniger verstört, als damals Herr Shi-shmi, der das gleiche Unternehmen gewagt hatte. Aber, sagte Herr Ya-kong-tse, immerhin stehe die Welt dann noch, und das Fortschreiten habe ein Maß erreicht, das kaum zu schildern sei. Der Stand der Dinge in jenen zukünftigen Jahren verhalte sich zum Stand der Dinge heute so, wie der Stand der Dinge heute zum Stand der Dinge unserer, also Deiner, teurer Dji-gu, und meiner Zeitheimat.

»Allerdings«, sagte Herr Ya-kong-tse etwas nachdenklich, »habe ich auch den Eindruck, das Fortschreiten werde dann bald, wie die Katze, die sich in den Schwanz beißt, hinten die Ur-Primitivität wieder erreicht haben.«

※

Oh, meine süße Shiao-shiao, wann werde ich dich wieder streicheln dürfen. Ich hoffe: bald.

XIII

In Lom, der Ewigen Stadt. Ich habe sie mir ganz anders vorgestellt: in Gold. Aber vielleicht liegt es an der Jahreszeit. Es ist Spätherbst, und der Himmel ist grau. –

Aus der Stadt Hua-ch'eng sind wir, mittels des Geldes, das mir Herr Ya-kong-tse für die Überlassung der Zeitmaschine gegeben hat, in bequemerer Weise, nämlich in einem äußerst komfortablen Eisenschlauch gefahren. Ich habe darauf bestanden, daß wir Berechtigungspapiere kaufen. Lo-lang hat deswegen Zeter und Mordio geschrien, weil er das für vollkommen überflüssig betrachtet. Er hat mir vorgerechnet, wieviel wir in Glas gegossenes und verkorktes Belebendes Klar-Getränk dafür kaufen könnten, aber ich blieb hart. Mich drängte es, in die Ewige Stadt Lom zu kommen, und ich wollte im Eisenschlauch fahren, ohne ständig ängstlich auf der Hut vor den Kontrolleuren zu sein.

Maulend gab Lo-lang nach. Es ermunterte ihn dann etwas, daß ich ihm in einem Laden auf dem Weg zur Eisenschlauch-Halle eine Flasche Belebendes Klar-Getränk kaufte. Im Eisenschlauch verschlief er die nur kurze Fahrt nach Lom. –

Der Abschied von Herrn Ya-kong-tse war herzlich. Er erzählte mir, daß seine »Träume« von der Zukunft und dem Fortschreiten der ES-Kasten-Kunst, weil er dies alles so genau schildern konnte, auf seiner Hochmögende ES-Kasten-Kunst-Versammlung Furore gemacht habe.

Ich gab Herrn Ya-kong-tse meine Zeit-Raum-Kuverts, Du weißt, jene winzigen Kapseln mit dem Zeit-Raum-Papier, die wir benutzt haben, damals vor fünfzehn Jahren, um uns Nachrichten zukommen zu lassen. Ich hatte sie mitgenommen, aber ich konnte sie ja nicht verwenden, denn wir waren aufgrund der Verfolgungen seitens des Höllenhundes La-du-tsi nicht in der Lage, einen Kontaktpunkt zu vereinbaren. Herr Ya-kong-tse versprach, die Zeit-Raum-Kapseln gut und vertraulich zu verwahren. In spätestens zehn Jahren, sagte ich, werde es mir wohl hoffentlich vergönnt sein, in meine Zeitheimat zurückzukehren, und dann solle er mir bitte ab und zu etwas von der hiesigen Welt berichten.

Ich bin neugierig, ob er es tun wird. Wenn nicht, schadet es auch nichts. An und für sich habe ich jetzt genug von dieser fern-zukünftigen Großnasen-Welt, und wenn es mir vergönnt sein sollte, zurückzukehren, werde ich mich anderen Dingen zuwenden. –

Im Eisenschlauch kam ich mit einem Großnasen-Priester ins Gespräch, der neben mich zu sitzen kam. (Lo-lang schnarchte in der Sitzreihe hinter mir. Eine dicke Alte in einem gewaltigen Pelz fühlte sich offenbar durch das Schnarchen gestört und stieß Lo-lang immer wieder wütend in die Seite. Lo-lang wachte davon auf, sagte aber nur: »Prost!« und schlief gleich wieder ein.)

Einen Priester erkennt man hier an dem schwarzen Kleid. Namentlich in diesem Reich südlich des Großen Gebirgskammes gibt es viele solch Schwarzgekleideter.

Der Priester, mit dem ich ins Gespräch kam, beherrschte die Sprache der Nord-Leute, auch die Sprache des Reiches Ju-xä, und so konnten wir uns ganz gut unterhalten. Wieder wandte ich mein Verfahren an, viel zu fragen, um zu vermeiden, daß *ich* gefragt werde.

Er fragte mich aber dann doch, nämlich danach, wie es mit den Anhängern des an kreuzweise Balken genagelten Nackt-Gottes im Reich der Mitte stehe? Er war, wie fast durchwegs alle Priester, die hier zu finden sind, ein Priester dieser Religion. Ich hatte die Frage erwartet und antwortete also: »Na ja, teils-teils, es kommt darauf an – manchmal besser, manchmal schlechter.« Er sagte, daß er dies auch schon gehört habe, und gab sich mit der Antwort zufrieden.

※

Ich bin also nun in Lom. Lom ist die Stadt, in der der Ober-Priester der Religion des an kreuzweise angeordneten Balken genagelten Gottes Ye-su residiert. Das weiß ich von jenem Priester, der mir viel von seiner Religion erzählte, und zwar nicht nur auf der eher kurzen Fahrt nach Lom, sondern auch hier in der Stadt, denn – ich schicke das voraus, bevor ich auf die wichtigeren, wohl auch Dich interessierenden Dinge zu sprechen komme – der Priester fragte mich nebenher in einer Pause unseres Gespräches, ob wir schon ein Quartier in Lom hätten.

»Nein«, sagte ich, »leider.«

Wenn wir wollten, sagte er dann, könnten wir mit ihm gehen, denn er kenne in Lom ein Kloster (es gibt viele Klöster in Lom, obwohl die Leute hier keine Buddhisten sind), und in diesem Kloster könne man sehr günstig wohnen; anders sei alles sonst in Lom sehr kostspielig.

Dankbar nahm ich, auch namens des schlafenden Lo-lang, an. Und so gingen wir, freundlich führte der Priester den Blinden gleichermaßen wie ich – der Blinde in der Mitte, und so wohnen wir jetzt in einem kleinen Zimmer hoch oben in dem Kloster, das aber nicht von Mönchen, sondern von in Grau gekleideten Nonnen bewohnt wird. Nahe unserem Zimmerchen findet sich die allgemein benutzte Terrasse des Klosters, und von dort aus hat man einen grandiosen Überblick über die ganze Ewige Stadt Lom mit vielen Türmen und Kuppeln sowie Palästen aus Marmor.

Auf dieser Terrasse wandeln wir, der Priester – er heißt Ehrwürdiger Herr Ka – und ich, und ich höre ihm zu von seiner Religion erzählen.

Du weißt, Freund Dji-gu, treuer Weggefährte vieler Jahre, daß ich nicht das bin, was man einen fromm-blickend religiösen Menschen nennt. Ich hege aber beileibe keine Verachtung für fromm-blickend religiöse Menschen, selbst für solche nicht, die in ihrer Kindlichkeit meinen, mit der mehr oder weniger genauen Erfüllung der Riten sei es getan – ich schreibe Dir das alles, weil ich weiß, daß Dich religiöse Dinge interessieren. Haben wir nicht oft davon gesprochen? Stammt nicht von Dir das Wort: Seit einiger Zeit habest Du begonnen, an der Nicht-Existenz Gottes zu zweifeln? Du hast mir erlaubt, dieses Wort auch für mich in Anspruch zu nehmen. Aber abgesehen davon interessierte uns alles, was mit Religion zusammenhängt. Religion ist notwendig, um ein Volk gesund zu erhalten. Der Ersatz-Dämon Le-ning soll einmal gesagt haben: »Religion ist ein berauschender Rauch für das Volk.« Das ist Unsinn, wie offenbar so gut wie alles, was jener Le-ning gesagt hat. Religion ist Medizin für das Volk. Ohne Seele kann kein Volk leben, und die Religion – ob sie falsch ist oder richtig – nährt die Seele. Verbietet man dem Volk die Religion, wie es in jenen Le-ning-Ländern geschehen ist, wird das Volk seelenlos: kleine wandelnde weiße Löcher. Ich habe immer den trostlosen Blick der Masse jener bedauernswerten Bewohner der Roten Provinzen darauf zurückgeführt, daß ihnen die Seele herausgeblasen worden ist.

Aber zurück zu meinem Bericht von der Religion des an gekreuzte Balken genagelten Gottes, den sie auch den »Menschen-Sohn« nennen. Ich will (könnte es gar nicht) die vielen Gespräche nicht im Wortlaut wiedergeben, die ich mit Ehrwürdigen Herrn Ka anfangs im Zug und jetzt viele Tage lang auf der Terrasse des Klosters geführt habe. Ich fasse zusammen.

Du weißt und ich weiß, daß unser großer Weiser vom Aprikosenhügel, Kung-fu-tse, gelebt hat. Wir wissen, daß er heute (ich meine in unserer Zeitheimat) als Gott gilt. Wir wissen aber auch, daß er das nicht ist und nicht war.

Ähnlich verhält es sich offenbar mit dem »Menschen-Sohn«, soweit ich das verstehe, was mir Herr Ka erzählt und aus einem Büchlein – die »Frohe Botschaft vom Menschen-Sohn« – vorträgt. Der »Menschen-Sohn« scheint ein ganz besonders hervorragender, bewunderswürdiger Mensch gewesen zu sein, ein wahrhaft frommer Prediger, der ungefähr in der Mitte unserer Han-Zeit irgendwo weiter östlich in fernen Provinzen des Lom-Reiches gelehrt hat, daß – was ja nicht ganz fern dessen ist, was an wahrhaft Wertvollem aus der Lehre des Kung-fu-tse zu entnehmen ist – es nicht genügt, wenn man die Riten und religiösen Gebräuche hirnlos befolgt, daß man vielmehr sein Hirn dazu benutzen soll, Gott zu erkennen, den Geist seiner Schöpfung und seiner Liebe.

Außerdem soll man seinen Mitmenschen nicht mißachten und mißhandeln.

Und dann haben sie ihn ans Kreuz genagelt. Freilich: es ist einfacher, hirnlos die Riten zu befolgen, als an Gott zu denken. Ich sehe jetzt die vielen Bilder dieses »Menschen-Sohnes« mit anderen Augen.

Aber es kam natürlich, wie es kommen mußte, und wie sowas immer kommt. Seine Jünger, oder solche, die sich dafür hielten, bemächtigten sich seiner schönen Lehre. Das ist immer schlecht. Sie erfanden die abstrusesten Dinge: daß er vom Tode auferstanden sei, daß er von einer heiligen Taube mit einer Frau gezeugt worden sei, die dennoch Jungfrau geblieben, und was dergleichen gefällige Legenden mehr sind. Außerdem schraubten sie den guten »Menschen-Sohn« – so wie bei uns den Weisen vom Aprikosenhügel – langsam zum Gott hinauf, wobei er sich aber in Drei Götter aufspaltete, die aber wiederum insgesamt Einen bilden –

»Wo hat in dem kleinen Büchlein«, fragte ich Herrn Ka, »der Menschen-Sohn gesagt, daß er Gott ist?«

»Nicht direkt«, mußte er zugeben, »aber –«
»*Aber* gilt nicht«, sagte ich.
»Er hat die Menschheit erlöst«, sagte er.
»Wovon?« fragte ich.
»Von der Sünde.«
»Es gibt also keine Sünde mehr?«
»Doch«, sagte er, »es gibt schon noch Sünde, aber –«
»*Aber* gibt es nicht«, sagte ich.
»Gott, der Vater«, sagte er, »hat seinen geliebten Sohn für uns Menschen geopfert.«
»Wem?«
»Wie: wem?«
»Opfern kann man nur irgendwas irgendwem. Gott hat – schrecklich! – seinen Sohn geopfert. Wem? Sich selber?«
Auf alle solche Fragen hatte Herr Ka, der sonst zweifellos ein guter Mensch ist, keine befriedigenden Antworten.

Ich behielt auch, um ihn nicht zu kränken, meine abschließende Meinung für mich: diejenigen, die sich heute als Anhänger des »Menschen-Sohnes« bekennen, befinden sich genau da, wo sie den »Menschen-Sohn« *nicht* haben wollten. Sie befolgen einen Wust von komplizierten Riten, und sie glauben, es sei damit getan. Sie rutschen in ihren – meist überaus prächtigen – Tempeln auf den Knien herum, beten ein Gebet hundertmal hintereinander herunter, fasten, spritzen heiliges Wasser in der Gegend herum, wispern in Schränken ihren Priestern ihre Sünden ins Ohr und so weiter und so fort. Und sie gebrauchen mitnichten ihr Hirn, um Gott zu erkennen, und ihren Mitmenschen hauen sie den Schädel ein.

Ich fürchte, der gute Menschen-Sohn ist umsonst gestorben.

*

Ich war in vielen Tempeln der Ewigen Stadt Lom. Wie gesagt: sie sind überaus prächtig, und herrliche Gemälde und Statuen zieren sie – obwohl wiederum leider häufig Katastrophen dargestellt sind. Daß auch die Darstellung eines an sich traurigen Gegenstandes das Gefühl erwecken kann, ein bedeutendes Kunstwerk zu betrachten, zeigte mir ein Bildwerk im größten Groß-Tempel der Stadt, dem Eigentempel des Großen-Heiligen-Vater-Priesters.

Das Bildwerk findest Du – fast hätte ich lächerlicherweise gesagt: falls Du einmal hinkommen solltest – rechts gleich nach dem Eingang, und es ist so zart gemeißelt, und von so ergreifender Schönheit, daß ich staunend wie angewurzelt stehen blieb. Das Bildwerk (aus weißem Marmor) stellt eine junge Frau trauernd um einen jungen Mann dar, dessen toten Körper sie auf den Knien hält.

Ich habe das für die Darstellung, für die sehr würdige Darstellung des Endes einer tragischen Liebesgeschichte gehalten. Herr Ka sagte mir aber: es handle sich um den vom Kreuz abgenommenen Menschen-Sohn und seine Mutter-Jungfrau.

Wieso ist aber die Mutter gleich alt wie der Sohn? Ist sie nicht nur Jungfrau geblieben, sondern gleichzeitig auch nicht mehr gealtert? Nein, so blöd kann ein *so* großer Künstler wie der jenes Bildwerkes nicht sein.

Ich habe mir leider den sehr komplizierten Namen des Künstlers nicht gemerkt. Aber in mir stieg beim Anbetracht des Bildwerkes die gleiche große Stimmung auf, wie ich sie erlebte, als ich die Göttliche Vierheit des We-to-feng hörte.

Vielleicht haben sich die beiden gekannt? Wer weiß.

*

Wir trieben uns in der Stadt herum. Es sind einige Tage vergangen, seit ich das Obige geschrieben habe. Lo-lang wird langsam anstengend. Er mault über alles und jedes, insbesondere ärgert ihn das Frühstück hier im Kloster. Ich sage ihm zwar: »Was willst du für die wenigen kleinen Geldbriefe verlangen?« Er bemängelt, daß es nur Weizenbrot gibt, nämlich jene Brotfäuste, die sie jenseits der Gebirge Sem-lem, hier aber Pa-ning nennen. Hier sind sie fast kinderkopfgroß – ich erschrak förmlich das erste Mal, als mir ein Pa-ning vorgesetzt wurde – aber innen hohl. Lo-lang verlangt nach dem, was er »unser kerniges Schwarz-Brot« nennt – für meine Begriffe nahezu ungenießbare Roggen-Klumpen, die in Scheiben geschnitten werden und nach angestaubtem Pappendeckel schmecken.

Gut – ich sehe dem armen Kerl viel nach. Das Leben hat ihn äußerst nachteilig behandelt, warum soll er das Leben rühmen. Und die Wunderheilung ist noch nicht eingetreten. Wir waren letzthin auf dem großen Platz vor dem Haupt-Tempel. Hunderte von Menschen hatten sich versammelt und blickten nach oben. Aus einem durch die Entfernung winzig wirkenden Fenster in einem seitlichen Tempel-Palast war ein rotes Tuch gehängt, und dann erschien ein Mensch, der Unverständliches sprach. Die Leute herunten johlten. Manche fielen hin, meist auf die Knie. Einer stürzte, wohl irrtümlich, in einen Brunnen.

Als ich aber Lo-lang fragte: »Siehst du jetzt wieder etwas?« antwortete er: »Nein. Wir müssen über den achten Tag wieder herkommen.«

In der Zwischenzeit, wie gesagt, streifen wir durch die Stadt. Ein großer Fluß durchfließt sie; in der Mitte der Stadt liegt im Fluß eine kleine Insel, durch feste Brücken erreichbar, und auf der Insel stehen Häuser, und in einem dieser Häuser wird kostenlos heiße und gar nicht schlechte Suppe ausgegeben. So sparen wir. Und dann streifen wir wieder durch die Stadt. Auch hier ist es günstig, daß wir die Mu-seng als über Sechzigjährige ohne zu zahlen besuchen dürfen.

Dort wärmen wir uns auf. (Der Haupt-Priester-Heiliger-Vater hat, wie ich erfahren habe, ein eigenes Mu-seng. Da wäre ich auch gern hingegangen, denn die unzähligen Ma-yi-ya mit dem dicken Kind in den anderen Mu-seng langweilen mich schon. Aber ausgerechnet in diesem Mu-seng muß man auch dann zahlen, wenn man über sechzig Jahre alt ist.)

Die Stadt Lom besteht eigentlich aus zwei Städten: die eine Stadt ist oben, die andere zieht sich unter ihr hin, und an manchen Stellen hat man die obere Schicht weggekratzt (was geschah mit den Häusern? ich weiß es nicht), und dann treten die Trümmer der unteren Stadt zum Vorschein. Herr Priester Ka hat das so erklärt: die Stadt Lom war immer groß und bedeutend, seit mehr als zweitausend Jahren das Zentrum der Welt und reich bevölkert. Aber die Bevölkerung habe nicht auf ihre Stadt geachtet, den Abfall einfach weggeworfen und festgetreten. So hat sich in den zweitausend Jahren der Grund gehoben: einen Finger breit pro Jahr, ungefähr. Nach einiger Zeit war es somit unumgänglich, die untere Stadt zu verlassen, weil man sonst dort im Dreck erstickt wäre, und oberhalb neu zu bauen. Und so fort. In der Tat finden sich an verschiedenen Stellen Bauwerke, die verschieden tief in der Erde stecken.

Ich glaube das gern mit dem Dreck. Die Leute der Stadt Lom verwenden ungeahnte Erfindungskraft darauf, den Müll an Stellen abzuladen, wo er nicht hingehört. Dabei sind überall in der Stadt Gefäße aufgestellt, um den Abfall aufzunehmen. Aber den Müll in diese Gefäße zu tun, gilt als phantasielos. So wird es bald wieder dazu kommen, daß die Leute von Lom eine neue Stadt bauen – auf den Fundamenten ihres Drecks.

Dabei ist die Stadt, wenngleich nicht aus Gold, sehr schön, sofern man vom Schmutz absieht. Sie hat mehrere Zentren, und eins davon bilden einige schön bewaldete und ansehnliche, prächtig gezierte (und mit Dreck umsäumte) Tempel und Paläste sowie aufragende Trümmer früherer Tempel und Paläste. Ein stark weiß-farbener Groß-Palast (in Wirklichkeit das Grabmahl eines Königs) prangt auf der einen Seite und bewacht diesen Stadtteil. Das Groß-Grab aber, das insgesamt eher aussieht, als fletsche ein Gigant die Zähne, wird von Kriegern bewacht. Die Krieger sind so lächerlich winzig am weiß-steinernen Groß-Grabmal, daß ich hellauf lachen mußte. Das Grabmal ist, erzählte mir Herr Ka, nicht aus Marmor, wie sonst alle bedeutenden Gebäude hier, sondern aus einem besonders scheußlichen Weiß-Kalk-Stein, der eigens von weit her geschleppt werden mußte. Warum? Weil der Bruder des Großmandarins oder Vetter des Baumeisters oder irgend etwas in der Richtung den betreffenden Steinbruch besaß. Korruption. Dies sei, sagte Herr Ka, eine alte, liebgewordene Tradition in diesem Land südlich des Großen Gebirges. Vor einigen Jahren allerdings sei das Korruptions-Faß zum Überlaufen gekommen. Man habe alle Minister, Kanzler, Mandarine usw. abserviert und durch neue ersetzt.

Jetzt betreiben diese die Korruption.

*

So streifen wir, bis die nächste Versammlung unter dem Tuch des Heilig-Vaters stattfindet, in der Stadt herum, denn untertags ist es nicht gestattet, sich in dem von Mönchinnen errichteten Hospiz aufzuhalten. Gern streifen wir durch ein ausgedehntes Trümmerfeld mit angrenzendem Trümmer-Hügel, was alles in allem quasi als Mu-seng gilt: wir aber als Greise dürfen umsonst hinein. Nur einmal fragte ein Wächter, was eigentlich Lo-lang in der Trümmerstätte wolle, wo er doch nichts sehe. »Riechen«, antwortete Lo-lang, »und du, Wächter, riechst nach ungewaschenen Füßen.«

Einmal ging auch Herr Priester Ka mit, was mir sehr lieb war, denn Herr Priester Ka ist ein Kenner des Altertums und zeigte und erklärte mir (während Lo-lang in seinen Mantel gewickelt schlief) die ganze Stätte. Ein ganzer trauriger Himmel von Verfall senkte sich in meinen Augen über das Feld und über den Hügel, nachdem ich wußte, welche Pracht hier einst geherrscht hat, und wie menschliche Raserei und die Vergänglichkeit des Irdischen die ansprechenden Bauwerke nach und nach zerfressen haben. Es kam mir vor, als wollten die umgestürzten Marmorsäulen sich erheben (einige standen schon), um von ihrer einstigen Macht und Größe hinauswehzuklagen ... aber sie vermochten es nicht, waren schon zu schwach, und auch die, die noch standen, waren verstummt. So ließ ich nur meine Hand über den Marmor gleiten und tröstete die Trümmer damit, daß alles in der Welt vergänglich ist.

Vom Hügel aus bemerkst du ein Meer von roten Dächern, ein Gewirr von Häusern, überragt von Kuppeln und seltsamen Türmen. Es ist still hier heroben, obwohl die Stadt sonst laut ist; der Himmel war grau verhangen. Viele Krähen kreisten und kreischten um die Zypressen. Ich weinte. Wann werde ich wieder mit Dir, treuer Dji-gu, unter dem Pfirsichbaum sitzen –

*

Lo-lang hatte die Idee: um unsere Kasse aufzubessern – denn langsam schmolz das Geld dahin, das ich von Herrn Ya-kong-tse bekommen hatte, und weder hatte er, Lo-lang, Heilung, noch hatte ich Herrn Großen Gelehrten »Hoher Pavillon« gefunden – setzte ich mich an einer der belebtesten Straßen und malte ein Schild mit Schrift nach Großnasen-Art: ich schreibe gegen geringe Gebühr den mir in Großnasen-Schrift vorgegebenen Namen des überaus geschätzten Kunden mit einem Pinsel in unsere Schriftzeichen übersetzt aufs Papier.

Viel erlösten wir nicht. Als es zu regnen anfing, mußte ich

dann auch mein Gewerbe aufgeben. Wir gingen ins Museng...

*

Wenn Herr Priester Ka, der im Kloster Vorrechte genießt, bei den Mönchinnen vorspricht, dürfen wir dann doch ausnahmsweise ab und zu untertags im Hospiz bleiben. Lo-lang schläft natürlich. (Nicht, weil er immer müde ist, schlafe er, sagte er, sondern weil er im Traum *sieht*.) Ich gehe dann mit Herrn Priester Ka oben auf dem Dachgarten auf und ab. Herr Priester Ka erklärt mir weiter seine Religion, die mir je unverständlicher erscheint, desto mehr er mir erklärt.

»Warum«, fragte ich, »*gibt* es aber immer noch Untugend auf der Welt, wo sie doch von der Sünde erlöst ist? Der Ober-Heilige-Vater hat, soweit ich das verstanden habe, letzthin deutlich über die ständig zunehmende Untugend geseufzt?«

Der Priester Ka, zweifelsohne ein guter Mensch, blickte zum Himmel und antwortate darauf, daß er für mich beten werde. Ich fragte dann auch nicht weiter. Im übrigen habe ich das Gefühl, diese Religion begreift als hauptsächliche, wenn nicht einzige Untugend die Ausübung des Geschlechtsvergnügens. Warum stellen sie dann aber ihren Gott immer so gut wie nackt dar?

Verstehe das, wer will. Aber nun gut. Es ist wohl vieles kraus und wirr und absolut nicht einzusehen in dieser Religion, aber das heißt nicht, daß nicht einiges darin richtig ist. Man wäre ja blöd, eine ganze Wagenladung von Früchten wegzuschütten, nur weil sich faule drunter finden.

XIV

Ich schließe meinen Bericht ab.

Ich habe nun – seit mehr als einen Mond sind wir, Lo-lang und ich, in Lom – die berechtigte Hoffnung, Nachricht aus der Zeit-Heimat zu bekommen, und nicht nur das, ich habe das sichere Gefühl, daß diese Nachrichten günstig sein werden. Ich könnte Dir also, lieber getreuer Dji-gu, diese Blätter aus meinen Händen zu Füßen legen und Dir den Rest erzählen, der sich seit den letzten Aufzeichnungen ereignet hat und jetzt dann wohl bald ereignen wird, aber ich will der Vollständigkeit halber doch den Bericht abschließen –

– wer weiß, vielleicht überdauert auch dies die Jahrhunderte, und die Großnasen machen auch daraus ein Büchlein. (Mich bewegt die Frage: was passiert hier in der Zeitferne, wenn wir jene Briefe, die ich Dir vor fünfzehn Jahren in die Zeitheimat geschrieben habe, verbrennen, nachdem ich zurückgekehrt sein werde? Verschwinden dann die Abertausende von Büchlein der »Briefe in die chinesische Vergangenheit«, die hier herumschwirren, wie von Zauberhand auf einen Schlag? Weil es sie nicht gegeben haben *kann*? Und was passiert mit dem Gedächtnis der Leute, die sie gelesen haben –? Aber wahrscheinlich würden wir nicht in der Lage sein, das Konvolut zu verbrennen – denn die Zeit und die Kausalität haben eherne Schranken. Wahrscheinlich beleidigt es ohnedies den Weltgeist, daß ich in den Zeiten herumkutschiere, und er duldete weitere Eingriffe nicht. Wir werden uns also hüten...)

– werde also den Bericht ordentlich abschließen, bevor ich mein Bündel schnüre, mein angestammtes Kleid anziehe (den Zopf kann ich mir leider so schnell nicht wachsen lassen) und abreise.

Zeit wird's. Es reicht mir. Es wird immer kälter, auch hier in Lom. Die Großnasen rüsten schon wieder zum wahnsinnigen Geburtsfest ihres Erlöser-Kindes. Und das Geld ist praktisch auch zur Neige gegangen.

※

Ein Wort vorher zu Lo-lang. Er ist fort. Er hat erfahren, von wem, weiß ich nicht, daß jenes Wunder, das einen Blinden sehend gemacht habe, ein Schwindel war. Der Blinde war gar nicht blind, hat nur so getan. Eine gewisse Sekte, Eiferer mit Namen »Des Gottes Werk«, hat den Schwindel inszeniert und lauthals die Heilung ihrem Abgott, der irgendwie Kedje-we oder so heißt, zugeschrieben. Es ist nämlich so in dieser Religion der Großnasen, daß der Ober-Heilig-Vater die Macht hat, Verstorbene in Ränge höherer Himmel zu erheben. Die Sache ist genau geregelt. Drei Wunder muß der Tote tun, dann schwirrt er eine Stufe nach oben. Eine blaßblauhaarige Dame von denen von »Des Gottes Werk« hat sich für Lo-lang zwar interessiert, das Interesse aber verloren, als sie feststellen mußte, daß er wirklich blind ist.

Nun ist Lo-lang abgereist: er will zu einem Ort im Süden gelangen, wo eine Bildsäule zu weinen angefangen haben soll, und dort will er Heilung suchen. Natürlich wollte er, daß ich mitfahre, aber ich mußte ihn enttäuschen. Ich bleibe hier, wo ich endlich den Bedeutenden Gelehrten »Hoher Pavillon« gefunden habe.

Wie? Sehr einfach. Ich hatte ja jenen angefangenen Brief dabei, den mir Herr Shi-shmi, der Gute, hinterlassen hat. Und ich hatte plötzlich die Eingebung, diesen Brief Herrn Priester Ka zu zeigen, und der lachte und sagte: »Sie suchen ›Hohen Pavillon‹ seit Wochen? Warum zeigen Sie mir den Brief erst jetzt? Das ist doch sehr einfach: Herr ›Hoher Pavillon‹ befindet sich, so steht es hier, jeden Tag in der Bibliothek des Ober-Heilig-Vaters im Palast Wa-kang und ist dort unschwer zu finden.«

So führte mich Herr Priester Ka in den Palast Wa-kang, der eine Art Verbotener Stadt ist, die aber Herr Ka dank seiner Vorrechte betreten darf, und er vermochte sogar, mich mitzunehmen, und wir gingen in die unglaublich weiträumige und bücherreiche Bibliothek, und schon nach kurzer Zeit traf ich auf Herrn Hervorragenden Gelehrten »Hoher Pavillon«, eine Großnase, die mich aber nicht nur in unserer Sprache ansprach, sondern auch der erste Mensch hier in dieser Zeitferne war, der meine höfliche Rede würdig erwiderte.

Ich will die Art und Weise, wie ich Herrn »Hoher Pavillon«, einem Gelehrten von außerordentlicher Liebenswürdigkeit, einem alten Herrn von jugendlicher Beweglichkeit, meine wahre Herkunft schilderte, hier nicht ausbreiten. Er brauchte, muß ich sagen, nur eine kurze Zeit, um meine Geschichte zu glauben. Dabei war hilfreich, daß er jenes Büchlein mit meinen Briefen an Dich kannte, das er allerdings, sagte er, nur für ein Märchen gehalten habe. Selbstverständlich war er zu höflich, um mich seine anfänglichen Zweifel an meinem Verstand merken zu lassen.

Dann brachte ich mein Anliegen vor: ob er, als der beste Kenner der Sprache, der Sitten und Gebräuche und der Geschichte des Reiches der Mitte mir ein Buch nennen könne, in dem die Ereignisse meiner Zeitheimat so genau verzeichnet sind, daß ich feststellen könne, wann der meineidige La-du-tsi von den Stufen der kaiserlichen Gnade purzelt.

Nein, leider, sagte der Hohe Gelehrte »Hoher Pavillon«, ein so genaues Buch gebe es nicht, aber er mache mir einen anderen Vorschlag –

※

Ich brauche weiter nichts zu sagen. Dies sind die letzten Zeilen meines Berichts. Herr Ruhmbedeckter Gelehrter »Hoher Pavillon« ist mit meiner Zeitmaschine kurz die tausend Jahre zurückgeflogen, hat festgestellt, daß der erhabene Fußtritt der Kaiserlichen Majestät den La-du-tsi aus der Sonne des (unverdienten) Ruhmes in den (verdienten) Moder eines Kerkerloches befördert hat und daß aus Hofkreisen das Bedauern verlaute, meine Gegenwart entbehren zu müssen.

Ich wollte Herrn Großmögenden Gelehrten »Hoher Pavillon« mit mehr als nur den angemessenen Worten danken, er wehrte aber ab und sagte, es sei ihm Lohn genug, daß ihm, als wohl der einzige Gelehrte der Wissenschaft vom Altertum des Reiches der Mitte, vergönnt war, wenn auch kurz, das Leben der Vergangenheit dort mit eigenen Augen zu betrachten. (Er war zwei Tage dort.) Leider, fügte er hinzu, könne er seine Erfahrung verständlicherweise in der nächsten Sitzung seiner Akademie nicht ausbreiten.

So verlasse ich die Welt der Großnasen abermals. Ich spüre schon die milde Luft meiner Zeitheimat. Mein Bündel ist gepackt. Leb wohl, du wirre Welt der Großnasen. Ich werde nicht mehr hierher zurückkehren.

Ich danke wieder – wie schon bei meinen »Briefen in die chinesische Vergangenheit« – Herrn Prof. Dr. Herbert Franke für seine immer bereitwillig gegebenen Ratschläge und Auskünfte, die »Zeitheimat« Kao-tais betreffend. Ohne den Rat Prof. Frankes hätte ich dieses Buch nicht schreiben können.

H. R.